W9-BNG-594

LÉOCADIA

Jean Anouilh

No. 18 Studio Lipnitzki
40, rue du Colisee, Paris 8e

Jean Anouilh

LÉOCADIA

EDITED BY Bettina L. Knapp
AND Alba della Fazia

BOTH OF HUNTER COLLEGE
OF THE CITY UNIVERSITY OF NEW YORK

New York

APPLETON-CENTURY-CROFTS
DIVISION OF MEREDITH PUBLISHING COMPANY

Copyright © 1965 by

MEREDITH PUBLISHING COMPANY

All rights reserved. This book, or parts
thereof, must not be used or reproduced
in any manner without written permission.
For information address the publisher,
Appleton-Century-Crofts, Division of
Meredith Publishing Company, 440 Park
Avenue South, New York, N. Y. 10016

635–1

Library of Congress Card Number: 65–17601

First published in Great Britain 1961
by GEORGE G. HARRAP & CO. LTD.
182 High Holborn, London, W.C.I

First published in the French language by Calmann-Lévy
1929 (*Humulus le Muet*) *and* 1939 (*Léocadia*)

French editions copyright Éditions de la Table Ronde 1958

English edition with Introduction and Notes
© *George G. Harrap & Co. Ltd.* 1961

PRINTED IN THE UNITED STATES OF AMERICA

E 03385

CONTENTS

INTRODUCTION

In 1963 Jean Anouilh, who was then working on a French adaptation of Shakespeare's *Richard III* for the Comédie Française, suddenly halted this project. Rumors circulated that he would not complete the work, that he was withdrawing his plays from France's state-owned theaters, and that he had given up playwriting. Anouilh himself offered no comment or explanation then or since. Whatever may be his future plans as a dramatist, he is likely to continue to conceal his life from the theatrical society of Paris and from the world at large. In spite of his seclusiveness, France and the world have come to know and love the theater that Jean Anouilh has created.

Several biographical facts are, however, public knowledge. He was born on June 23, 1910 in Bordeaux and received his primary and secondary education in Paris, where he also spent a year and a half studying law at the University of Paris. He worked subsequently in an advertising agency, but ultimately he dedicated himself entirely to the theatre. In 1931 he married the actress Monelle Valentin. They led a pitiful existence for some time since his salary as secretary to the actor-director Louis Jouvet at the Comédie des Champs-Elysées was negligible and his first two plays proved outright failures. *L'Hermine* was Anouilh's first work to meet with some success, and, beginning with *Le Voyageur sans bagage* in 1937, he wrote a series of plays that brought him increasing recognition.

After his divorce from Monelle Valentin, who scored a triumph in 1944 in her husband's *Antigone*, he married another actress, Charlotte Cardon.

Considered one of France's outstanding playwrights and theatrical directors, he achieved marked success in 1962 in staging Graham Green's *The Complacent Lover* and Roger Vitrac's *Victor*, as well as his own plays *La Grotte* and *La Foire d'empoigne*.

His plays have been grouped under the collective titles of "pièces noires," "pièces roses" (which include *Léocadia*) "pieces brillantes," "pièces grinçantes," and "pièces costumées." The latter collection, together with *Pauvre Bitos*, a "pièce grinçante," comprises Anouilh's "historical" plays; in these the writer transforms historical events into stage tableaux in which he manipulates the marionette strings of such memorable personages as Jeanne d'Arc (*L'Alouette*), Thomas à Becket (*Becket*), Robespierre (*Pauvre Bitos*), and Napoleon and Louis XVIII (*La Foire d'empoigne*).

This kaleidoscopic vision of humanity — black, pink, brilliant, jarring and costumed — reflects Anouilh's view of the extravagances and disorders of life, and of man as "an inconsolable and gay animal." But the "pièces noires" predominate over the "pièces roses," and there are dark undertones even in the lighter plays. In spite of the sparkling comedy of a "pink" or "brilliant" play, we sense a certain fleeting pity for the character who is forced to play hide and seek with himself, or for the pathetically comic victim of a mistaken identity. Anouilh's art consists in his masterful treatment of a complex plot so as to make it appear simple; in his construction of fantastic and illusory frames in which to present modern social, psychological, and philosophical problems; and, finally, in his skillful adaptation of scenic backgrounds to a multiplicity of situations. These three elements lend an inherent unity to each of Anouilh's plays, and a continuum among them. And through the spectrum of his plays runs the ever-visible thread of tragedy.

Anouilh's nights are long and most of his daylight hours are cast in shadow. The tragedy of his "pièces noires" exists in the events preceding the opening of the play and predominates in the compressed situation of a one-act play, or is intensified in the first act of a longer play and maintained relentlessly throughout the acts to its culmination. Anouilh's "black" plays written before 1936 sound a persistent and sustained note of hatred, fatality, and imminent death. The tragic heroes are not tense, frenzied, or violent, but rather serene in their despair, reflecting Anouilh's feeling of helplessness in the face of deep oppression. After 1936 Anouilh adopted a dramatic technique that allowed simultaneously for an intensification of tragedy and the intermingling of lighter sentiments. His later "pièces noires" reveal a lesser philosophical rigidity and an increased ability to "play" with the situations and passions of his heroes.

Most critics of Anouilh's theater point out that his characters, deeply marked with human anguish and intently engaged in games of illusion, fall within the tradition of the marionette theater of the old Italian *commedia dell'arte*. Indeed, Anouilh himself admits that he owes much of his inspiration to predecessors who elaborated the use of elements of game and fantasy in their comedies. In his "pink" and "brilliant" interpretations of modern harlequins, he stresses the role of pure fancy and frolic and conceives his own role to be that of the guiding mind behind the marionettes as they create fantastic situations and give vent to their fanciful natures. He leads his characters to contemplate themselves before a mirror, introduces them to their other personalities, and shows them how to "escape" reality on flights of courage or folly.

A play of pure fantasy, complete with masks, ballet, and musical interludes, is *Le Bal des voleurs* (1932). The situation, involving a group of professional thieves who inspire the confidence of the wealthy Lady Hurf and her nieces, Juliette and Eva, is as fast-moving and as entertaining in its spontaneity as any improvised Italian comedy. One of the pickpockets, Hector, who must change his disguises in rapid succession in order to escape detection, finds that he does not please Eva in his present form but cannot remember under which disguise Eva did love him. He changes his appearance over and over again, only to incite Eva's mocking laughter. Hector, like Pulcinella, is fickle and ludicrous in his behavior but pitiful in the torment of a love that escapes him. Lady Hurf, Anouilh's mouthpiece, is aware of the comedy being played by herself and the marionettes about her. Yet, in spite of her deep solitude, she feigns gaiety. Toward the end of the play, when the thieves are

discovered and the police come to make arrests, it is justice-seeking
Dupont-Dufort, *Père*, and *Fils*, who are seized because of the disguises they are innocently wearing in preparation for the thieves'
ball. To seem is to be, and there is no escaping the fate of one's
own appearance. Whatever reality may lie behind the mask remains unknown. Even in this most farcical and fanciful of Anouilh's
plays, the dramatist is preoccupied with the duality, nay, the
multiplicity of the human being and with the realization that man
cannot be reduced to a unity that brings inner peace and happiness.
Anouilh is deeply aware of the multitude of sentiments and emotions
within individuals who are subject to pressures from society, ties
of family, and restraints of economic circumstance.

Le Rendez-vous de Senlis (1937) is a strange mixture of drama,
parody, comedy of manners and of character, a psychological
portrait, a fantasy, a detective story, with touches of vaudeville —
in sum, as Anouilh laments, life itself. George has convincingly lied
to Isabelle about his parents by describing them as loving, kind,
and generous. In reality, he is deeply ashamed of them, their greed,
and their hypocrisy. Now that the idealized parents have taken
spiritual form in both Isabelle's and George's minds, they must be
brought to life in their minutest detail by a group of actors. During
the course of the rehearsal for the meeting of Isabelle with his
imaginary family, George is so completely taken up in the game
of illusion that for a few moments he is able to savor the pleasures
of living in a fantasy world. Though Isabelle learns of the deceit,
she forces the realm of her illusion to take precedence over the real
characters' world of hypocrisy. Once reality ceases to exist at the
rendezvous in Senlis, once all the "real" characters have fallen
through the trap door, Isabelle emerges as the true heroine, the
maker of happiness.

Anouilh's skill in constructing a play within a play proves itself
again in *Léocadia* (1939). To assuage the sorrows of a prince whose
beloved actress has dramatically strangled herself to death two years
previously, his mother, the duchess, stops the clock of life at the
Château so that things will remain exactly as they were at the time
of the prince's happiness. Her capricious gesture and the devotion
of her entourage to her scheme seem extravagantly ludicrous to the
practical Amanda, the young milliner who resembles the lost

Léocadia and who is summoned to the Château to reincarnate the actress for the Prince. But Amanda rebels at being forced to counterfeit the Prince's former beloved. She thereby expresses the ever-recurring theme in Anouilh's works of the inability of humans to communicate when their true selves are masked.

Again in *La Répétition ou l'amour puni* (1950), Anouilh achieves a more open but intricate elaboration of a play within a play. A rehearsal of Marivaux's *La Double Inconstance* is to be presented at the Count's Château during a banquet; the diners will become the players and the spectators will be forced to hear them to the end. The Count chooses the cast, pulls the marionette strings and sets the stage. So immersed is he in his game of fantasy that he tends to abuse his marionettes who tire of spinning and pirouetting in a world of illusion they neither understand nor appreciate. The Count's desire to escape reality is heightened by his love for the plain, pure and simple Lucile. His reputation and his social rank prevent him from loving her without being ridiculed by society. Conspiracies to exile Lucile symbolize high society's rejection of purity. The Count and Hero, his cynical and debauched friend, are the only ones aware of the hypocrisy about them. Lucile disappears and the Count starts on a hopeless search for her. Hero's lifelong dedication to smashing things and his recent triumph in breaking Lucile's hope and love culminate in his contriving his self-destruction. He provokes an expert marksman, who is also the ridiculous lover of the Count's wife, to duel with him.

The intrigues in which Anouilh's characters are involved are always basically the same. The ending of the play has two alternatives: either that the absolute ideal triumphs or that sordid society triumphs. The first is the happy ending of a "pièce rose"; the second the tragic ending of a "pièce noire." But there is always room for mystery and surprise, for traces of pink are caught in the black and vice versa. Only when the marionette strings are so entangled that further movement is stopped, does the central character succumb to his destiny. The curtain falls and the play clearly manifests its shading or tint.

Heroes and heroines in Anouilh's plays are antisocial because several individuals, who must be reconciled from life present and past, exist in the person of each and they need to be reconciled to the demands of each other as well as the demands of family and society. The conflicts, often bitter, between the individual in his purity and society in its corruption, may end either in the hero's actual death (*Roméo et Jeannette*); in symbolic death of an objective reality (*Le Voyageur sans bagage*); or in insanity (*Y avait un prisonnier*).

Death or insanity: one is as difficult as the other. Frantz, in *L'Hermine*, fights against the horrifying realization that only the money of the wealthy Bentz can give him happiness. He fights against Monime's aunt, the Duchess who is a slave of society's pettiness and who even tries to force Frantz and Monime to wear the hypocritical masks. The tormented Frantz seeks his escape. When he is asked: "Are you mad?" he replies: "Not enough, I'm afraid." Death for the Duchess and for himself are the only answer, and Frantz is forced to accept this solution in a classical "pièce noire" ending.

In *La Sauvage* (1933), it is Costa for whom insanity serves as an escape from a world of blackness and from the misery-stricken Thérèse. In spite of the goodwill of Florent, who loves Thérèse and would be able to give her a better life, Anouilh shows us that it is impossible for the poor to shed their rags of misery without suffering psychologically and spiritually. For this reason Thérèse refuses Laurent at the end of the play, but her predicament and her personality are carried through Anouilh's *Pièces noires* until she finally meets her death in *Roméo et Jeannette* in the guise of the savage Jeannette.

In *La Sauvage*, in *Roméo et Jeannette*, and in *Antigone* and *Médée*, Anouilh stresses the theme of the heroine's purity in her impurity. Neither Thérèse's nor Jeannette's past has been pure, but their love is absolutely chaste for it does not accept compromise or relative happiness. It needs an absolute which Thérèse cannot find in her poverty, and she therefore renounces all. Antigone is pure, but before going to her death she wilfully desires to give herself to Hémon, for her revolutionary form of purity includes the rejection of the norms of feminine chastity and the refusal of ordinary happiness. Medea's unscrupulous purity results in a series of murders but in the end she achieves her purity and turns to Jason with the words: "I have found again my native land and the virginity which you seized from me."

Le Voyageur sans bagage (1936) would be, if its ending were its beginning and its beginning its end, Jean Anouilh's happiest comedy. As the play stands, Gaston, an amnesia victim, has found perfect happiness, for he is without a past and is living as he wishes in an asylum. But presently society, which does not accept a man without a past, interrupts this happiness. By a ludicrous twist of the imagination, his well-wishers render Gaston everyone and at the same time no one. But the past that his supposed family tries to recreate for him is repulsive, and Gaston refuses it. By his final act of leaving for parts unknown with his little newly-discovered nephew, Gaston brings about the symbolic death of Jacques Renaud, his *alter ego*, and thus frees himself, if not from vicious society, at least from the public malignity surrounding a man without a past and from the particularly sordid past being forced upon him.

In *Eurydice* (1941,) the terrible punishment of Orpheus, who is obsessed by his desire for objective truth, is the death of Eurydice and the ending of any possibility of their happiness in this world. Before his "conversion" by Eurydice's death, Orpheus was the average human being who believed that one cannot shed his ugly past to become another. Eurydice, for whom time is not an absolute dimension, is faced with the problem of the relativity of truth. Eurydice's love, in spite of her sordid past, is in essence completely innocent and untarnished. By leading Orpheus to a death which complements Eurydice's, the mysterious guide, Monsieur Henry, brings the two young lovers together again in a realm where purity is not inversely proportionate to one's ugly experiences in life but rather is directly proportionate to one's ability to become unified with himself.

The theme of the ineluctability of love is, of course, not peculiar to Anouilh, but his treatment of the theme is worthy of note. Anouilh subjects the purity of love to the threatening attacks of conventional and immoral love. The deep need felt by two persons for freedom from the judgments of society can only be obtained by severing the bonds of convention. But the snapping of these restraints requires a superhuman force that is usually achieved by the intervention of some mysterious or "insane" third person.

In *Ardèle* (1949,) Anouilh put within a fantastic comic setting the most complete expression of tragedy wrought by society's refusal to believe that a pure love can exist, and especially that this love can exist between two misshapen beings. The hunchbacked Ardèle desires to marry a hunchback. The indignant Countess, whose own household forms a shining example of a shamefully ludicrous "ménage à trois," maintains that love between deformed persons is "amoral." General Saint-Pé, brother of Ardèle, is endowed with a slight degree of understanding and sensitivity. Faced with the necessity of making a decision concerning Ardèle's desire, he finds himself in a dilemma in the face of logical arguments proffered by the Count who, alone, understands fully that Ardèle has a soul. But all the Count's good will and intentions are not strong enough to make him a "third force." Ardèle and her lover escape society and convention by committing suicide.

Just as the same figures appear and reappear in different plays of the *commedia dell'arte*, General Saint-Pé and his invalid wife are again presented by Anouilh in *La Valse des Toréadors* (1952). In his fantasies the old General is playing the role of the ideal young man in love. But still possessing a measure of understanding and sensitivity as in *Ardèle*, the General recognizes that he is not and cannot be what he would like to be, and that his imagination is a disguise for his baldness and corpulence. The General, plagued by his wife and two ugly daughters, finds his consolation in dictating his military memoirs to his young secretary Gaston, in lengthy philosophic conversations with the physician in charge of his wife's malady, and in keeping alive for seventeen years a platonic love for Mademoiselle de Sainte-Euverte whom he is determined to marry as soon as his wife dies. Mademoiselle de Sainte-Euverte has come to the General's home to visit him, at the risk of causing a scene. The General's wife, in a fit of jealousy, suddenly is no longer paralyzed and runs to commit suicide on the railroad tracks. When the General attempts to go to the aid of his wife, Mademoiselle de Sainte-Euverte in despair jumps from a window and conveniently lands on the secretary Gaston who is lying below in a hammock. In the delirium of her revival, Mademoiselle mistakes Gaston for the General and their ludicrous love scene inadvertently leads to the destruction of Mademoiselle's love for the General and the birth of a new love for the secretary. As forecast by the physician, the bitter-sweet dénouement takes the form of a recognition scene:

the village priest reveals to General Saint-Pé that Gaston is his illegitimate son. The General's position at the end of the play is that of a ridiculous old buffoon awaiting the next comedy to be played.

The unreal, caricatural, and pathetically amusing characters and situations in Anouilh's plays link his fantasy with that of the old Italian comedy. His modern French protagonists are like the ancient zanies and medieval harlequins who defend themselves against threatening "reason," who answer with a grimace and a sneer the menaces of modern Captain Spaventos. Orphans in the great asylum of society, Anouilh's heroes are the avengers of the vexed and consolers of the weak. Like the *commedia* characters, Anouilh's creations embrace with their instinctive plebeian art the melancholy sadness of a modern world of marionettes.

Of all the playwrights who have influenced Anouilh, Luigi Pirandello is the most obvious one. In fact, in his 1961 work, *La Grotte*, a plotless play which depends largely on audience cooperation, Anouilh puts these words into the mouth of one of the characters: "I can just hear a critic whispering into his neighbor's ear that he has already seen this in Pirandello." *La Grotte's* point of departure is a *fait accompli:* the apparent murder of the cook. An investigation of the real cause of death ensues. The character named The Author, a combination of Pirandello's Director in *Six Characters in Search of an Author* and Hinkfuss of *Tonight We Improvise*, poses the problem of staging an "improvised" play. He wrangles with unruly characters and capricious stage technicians, and dramatizes, in Pirandellian style, the conflict between an author's illusory creation and his characters' living reality. This same conflict is present in *Léocadia*, in which the Prince and his entourage all live in an illusory world after the death of Léocadia Gardi, each for a different reason, but all so gripped by the power of that illusion that they refuse the reality of Amanda's outside world.

Comparisons have been drawn between Anouilh's plays and those of a number of modern French dramatists. Armand Salacrou's *L'Inconnue d'Arras* presents a situation similar to that of Anouilh's *Eurydice:* a man who has just shot himself, about to see his entire past life in review before dying, protests the impossibility of shedding his past even at the moment of death. Jean-Victor Pellerin's *Intimité*, in which the dramatist materializes the unconscious of a man who lives by continual escape because he finds it impossible to live harmoniously with even his most intimate companions, recalls the escape of Monsieur and Madame in Anouilh's *Rendez-vous de Senlis*. The controlled personality changes of Ixe and Opéku in Pellerin's *Têtes de rechange* recalls the manipulations of Lady Hurf inAnouilh's *Bal des voleurs*. A favorite Anouilh theme of the relativity of truth is successfully illustrated by three circus clowns in Marcel Achard's *Voulez-vous jouer avec moâ?* Bernard Zimmer's *Bava l'Africain*, in Anouilh tradition, poignantly champions illusion against reality. The theme of the irreversibility of time has been similarly treated in Samuel Beckett's *En attendant Godot* and in *La Valse des Toréadors:* Beckett's two vagabonds and Anouilh's General Saint-Pé wait patiently for an appointment in the past to take place.

The characters created by Anouilh are new, however, in that they are the personal and conscious realizations of a highly sensitive and tragic man. His wealthy and bored old aunts, his Duchesses or Countesses who do not know what to invent to amuse themselves, are symbols of what "le monde sauvage" detests — perhaps of what Anouilh detests. The value of these aristocrats lies in their titles from which they derive an inane authority to play carelessly with the lives and feelings of society's less fortunate. Their power is indeed so great that they can provoke a drama by their lack of understanding or prepare a comedy by their feeling for fantasy and the unreal.

The neglectful, pleasure-seeking mother who, rather than sacrifice her pleasure, allows her children to fight their own sordid ways through life is another of Anouilh's unforgettable types. Anouilh describes them as "old painted chattering children, something between domesticated monkeys and mechanical dolls."

A modern character of which Anouilh is very fond and very capable of describing is the professional or amateur entertainer: the entire family in *La Sauvage* are musicians in a café orchestra and Florent is a concert pianist; Orpheus and his father are wandering musicians; in *Le Rendez-vous de Senlis* Philémon and Madame de Montalembreuse are professional comedians, and Madame Alexandra in *Colombe* is a famous *tragédienne*. Isabelle in *L'Invitation au Château* is a dancer and her mother is a piano teacher, and Léocadia Gardi had been a famous *cantatrice*. What is especially interesting about the entertainers in Anouilh's plays is that, although they have an occupation, they rarely if ever are shown practicing their vocations or, indeed, engaged in any type of work. It is to the nonprofessional entertainers, rather, that Anouilh assigns the creating of illusions.

Another vivid and haunting modern character who reappears in Anouilh's plays is the chronic alcoholic, the pathetic drunkard who knows that his talent lies in the bottom of a glass but who is obliged to empty so many in order to find *which* glass.

Finally, Anouilh has created an unusually haunting character: *la Sauvage*, a physically or spiritually immature woman who represents scorn of society and the struggle for purity. Anouilh's "savages" have lived the most sordid aspects of life, yet they represent purity; they have been forced to make compromises, yet they represent nonacceptance. Antigone, Thérèse, Jeannette, Medea, Eurydice, Amanda, Isabelle of *L'Invitation au Château*, Ardèle, Jeanne d'Arc, Electre and Adèle in *La Grotte* are firm and ferocious in their determination not to understand. At times they are so childish that they seem to lack the force of their male counterparts in their fight against "reasonable" society. A great effort is required to comprehend the absolute purity of their illusory world and to fathom the driving force within these mysterious young women who speak and play like children but who have the courage to bring about their own death or the strength to change the course of life of those more mature and experienced than they.

Anouilh's plays have sometimes been called "ballets." The term is appropriate, for frequently Anouilh presents his work in the form of a light, fantastic dance, with music by Darius Milhaud or Francis Poulenc an intrinsic part of it. *Le Bal des voleurs*, *L'Invitation au Château*, *Léocadia* and *Le Voyageur sans bagage*, for which Anouilh carefully prepared the choreography, are notable examples. Not only the musical accompaniments but also the indications for the entrances and exits of characters, their steps, their movements, or their dances reveal that Anouilh indeed conceived some of his plays as ballets.

May the reader, as he turns the page, be caught up in the musical and fanciful dreamworld of Jean Anouilh.

LÉOCADIA

Léocadia, staged by André Barsacq, was first presented in Paris on November 28, 1940 at the Théâtre de la Michodière. The play, under the title *Time Remembered*, was produced in New York City at the Morosco Theatre in 1957. Helen Hayes played the role of the Duchess, Richard Burton the Prince, and Susan Strasberg was Amanda.

PERSONNAGES

AMANDA, modiste

LE PRINCE
LA DUCHESSE, sa tante
LE BARON HECTOR

LE MAÎTRE D'HÔTEL
LE CHAUFFEUR DE TAXI
LE MARCHAND DE GLACES
LE PATRON DE L'AUBERGE
LA DAME DU VESTIAIRE
LES TZIGANES

LE MAÎTRE D'HÔTEL DE LA DUCHESSE
LE GARDE-CHASSE
VALETS

PREMIER TABLEAU

*Un boudoir d'un luxe écrasant. Une jeune femme, Amanda,
est assise, une petite valise de carton à ses pieds. Elle a l'air
d'être là depuis longtemps. Elle bâille, caresse un nègre de
Venise[1] tout près d'elle, sur son socle. Soudain, elle le lâche
vivement; une petite dame est entrée, précédée d'un face-à-main,
c'est la Duchesse. Elle va d'abord au nègre et le replace
comme il doit être, puis elle marche sur la jeune femme
qui s'est levée.*

LA DUCHESSE: C'est vous?

AMANDA: Oui, madame, je crois.

LA DUCHESSE: Tenez-vous droite.

Amanda abasourdie se redresse.

LA DUCHESSE, *sévère:* Comment se fait-il que vous ne soyez pas plus
grande?

AMANDA: Je ne sais pas, madame, je fais ce que je peux...

LA DUCHESSE, *péremptoire:* Il faudra faire un sérieux effort.

Amanda la regarde.

[1] A Venetian blackamoor statue.

1

Mon enfant, j'ai soixante ans et je n'ai jamais porté que le
Louis XV.[2]

Elle montre son talon.

Mais pas votre Louis XV de coureurs cyclistes. Résultat,
quelle taille me donnez-vous pieds nus?   5

AMANDA: Un mètre quarante[3] peut-être, madame.

LA DUCHESSE, *vexée:* C'est bon, j'ai trente-huit. Mais cela n'a aucune
espèce d'importance, car vous ne me verrez jamais pieds nus.
Personne ne m'a jamais vue pieds nus, mademoiselle. Sauf
le duc, bien entendu. Mais il était myope comme une 10
citrouille.

Elle va à elle, sévère.

Qu'est-ce que c'est que cela?

AMANDA, *un peu décontenancée:* Des gants.

LA DUCHESSE: Jetez-les aux bêtes!   15

AMANDA: Aux bêtes?

LA DUCHESSE: C'est une expression. Elles n'en voudraient pas. Mon
horreur du vert a, si j'ose dire, déteint sur mes caniches.
On ferait chair à pâté de ces malheureuses petites créa-
tures plutôt que de les faire coucher sur un coussin vert. 20
Je dois ajouter qu'ils n'en ont d'ailleurs jamais vu. Il n'y
a rien de vert dans ce château, mademoiselle, que vos gants.

Elle les jette au feu.

AMANDA *ne peut s'empêcher de gémir:* Mais, madame, je les ai payés
très cher, ces gants...   25

LA DUCHESSE: Vous avez eu tort.

Elle lui a pris la main.

Bon, la main est fine. C'est tout à fait ce que je pensais. Cela
coud des chapeaux mais cela a de la branche. D'ailleurs

----

[2]A high, curved heel placed close to the center of the shoe arch, and stylish in
the days of King Louis XV. The "Louis XVI heel" was considerably lower.
[3]A meter is approximately three feet. The Duchess is a little over four and a
half feet tall.

qui n'a pas cousu de chapeaux de nos jours? Moi peut-être.
Mais je suis d'un autre monde. Au fait, on vous a dit sur ce
télégramme ce qu'on allait vous proposer ici?

AMANDA: Une place, je crois, madame?

5 LA DUCHESSE *s'exclame:* Une place... J'adore cette expression. Cette
petite est ravissante.
>> *Elle vient lui répéter sous le nez.*

Ravissante.
>> *Elle lance sans cesser de la regarder.*

10 N'est-ce pas, Gaston?
>> *Comme elles sont seules dans la pièce, Amanda regarde autour d'elle un peu surprise; la duchesse lui explique.*

LA DUCHESSE: C'est le duc. Il est mort en 1913, mais je suis tellement étourdie que je n'ai jamais pu me défaire de l'habitude
15 de lui parler.
>> *Elle la regarde encore, elle vient s'asseoir près d'elle.*

Ravissante.
>> *Elle lui parle soudain chaleureusement comme à un petit chien.*

20 Et vous êtes contente d'avoir trouvé « une place », comme
vous dites?

AMANDA: Oh! oui, madame. Il y a deux jours précisément — j'aime
mieux vous l'avouer puisque la maison m'a donné un excellent certificat — j'ai perdu mon emploi chez Réséda
25 Soeurs.

LA DUCHESSE *s'est levée et va à la porte:* Je sais, je sais, ma petite fille.
C'est moi qui vous ai fait renvoyer.

AMANDA *s'est levée aussi, démontée par cet aveu:* Comment c'est vous?
Eh bien, vous en avez un toupet,[4] vous, alors!...

30 LA DUCHESSE *sourit à ce mot et sort en criant:* Un toupet! Un toupet!
Gaston, quand je vous dis qu'elle est adorable!

[4]The idiom is **avoir du toupet.** Here, the replacement of **du toupet** by **en...un toupet** makes the expression highly emphatic.

> *La jeune femme est retombée assise sous ce coup; sa petite*
> *valise toujours à ses pieds, elle regarde autour d'elle, de plus*
> *en plus abandonnée. On sent qu'elle commence à avoir envie*
> *de pleurer. Un maître d'hôtel entre et s'incline cérémonieuse-*
> *ment devant elle.*   5

LE MAÎTRE D'HÔTEL: Mme la duchesse me demande de m'informer
auprès de mademoiselle s'il serait agréable à mademoiselle
qu'on lui servît une légère collation en attendant le retour de
Mme la duchesse.

AMANDA: Je vous remercie, je n'ai pas faim.   10

LE MAÎTRE D'HÔTEL: Que mademoiselle m'excuse, mais je ne
m'informais que pour la forme. Mme la duchesse m'a
donné l'ordre de servir cette collation à mademoiselle,
même si mademoiselle me répondait cela.

> *Une extraordinaire collation est servie par des valets, sur une* 15
> *petite ritournelle, avec un déploiement insolent d'argenterie,*
> *et Amanda reste seule devant trop de gâteaux et trop de*
> *compotiers pour avoir envie de prendre quelque chose. Finale-*
> *ment elle prend timidement une mandarine et commence à*
> *l'éplucher. La duchesse entre en coup de vent, suivie d'Hector,* 20
> *un grand hobereau maigre et faisandé. Elle va à Amanda,*
> *lui arrache sa mandarine et la jette au feu.*

LA DUCHESSE: Jamais de mandarines, jamais d'oranges, jamais de
citrons. Tout cela fait maigrir et vous ne pouvez pas vous
permettre de perdre un gramme, ma petite fille. N'est-ce pas 25
que cela serait frappant, Hector, avec un soupçon de rondeur
en plus?

> *Hector, qui a mis son monocle pour regarder Amanda,*
> *n'a même pas le temps de répondre; la duchesse marche sur elle.*

Des œufs, des farineux, des farineux, des œufs!   30
> *Elle appelle.*

Théophile!

LE MAÎTRE D'HÔTEL *entre aussitôt:* Madame la duchesse?

La Duchesse: Emportez-moi tout cela et servez-lui un œuf!

Amanda *s'est levée, résolue:* Non, madame.

La Duchesse *se retourne, surprise:* Comment non? Pourquoi non?

Amanda: D'abord je n'ai pas faim, ensuite je n'aime pas les œufs.

5 La Duchesse, *à Hector avant de sortir:* Elle est adorable.

Hector, *en écho:* Adorable.
> *Ils sont sortis, Amanda cette fois n'en peut plus, elle brandit*
> *sa petite valise, on sent qu'elle est prête à casser quelque chose*
> *ou à éclater en sanglots; elle crie aux valets qui desservent*
> 10 *sous la surveillance du maître d'hôtel.*

Amanda: Mais enfin est-ce que quelqu'un va, oui ou non, pouvoir
me dire pourquoi on m'a fait venir ici?

Le Maître d'hôtel, *avant de sortir derrière les valets:* Que mademoiselle m'excuse, mais personne n'est au courant parmi le
15 personnel. Il faudra que mademoiselle s'adresse soit directe-
ment à Mme la duchesse, soit, à son défaut, à M. le baron
Hector.

Amanda, *restée seule, jette sa valise par terre et tape rageusement du pied:*
Crotte, crotte, crotte, crotte et crotte!

20 La Duchesse, *qui est rentrée par une autre porte, simplement:* Quel vilain
mot! Dites merde, mon enfant, c'est français. Crotte, cela
n'atténue rien et c'est sale.
> *Elle s'assied très femme du monde.*

Je m'excuse, mademoiselle, de vous retenir ainsi dans ce salon...
25 Vous devez avoir hâte, je le conçois, de connaître votre
chambre et de vous reposer un peu des fatigues du voyage...
Mais quelqu'un qui ne doit pas vous voir peut rentrer incessamment de promenade et il serait dangereux pour mes plans
que vous bougiez d'ici.

30 Amanda *s'est assise, calmée, et croit devoir résumer la situation:* J'ai reçu ce
matin un télégramme signé de vous, madame, me disant que
vous pourriez m'employer... Mais je finis par me demander
si je ne me suis pas méprise.

La Duchesse: Quoi que vous ayez pu supposer, vous vous êtes certainement méprise, mon enfant.

Amanda: N'est-ce pas? Je suis modiste, je ne sais faire que des
chapeaux...

La Duchesse: Et vous pensez que je n'ai pas un genre à faire re-   5
taper mes bibis[5] à domicile... Un bon point.

Amanda: D'autre part, je préfère vous dire tout de suite, madame,
que s'il s'agit d'une place de femme de chambre ou même
de demoiselle de compagnie... J'ai un métier, madame —
et mon renvoi de chez Réséda Sœurs a beau être très en-   10
nuyeux pour moi — je tiens à l'exercer, ce métier.

La Duchesse: Vous aviez raison, Gaston, c'est une enfant qui a de
la qualité!
                    Elle se lève et jette à Amanda en passant devant elle:

Un autre bon point.   15

Amanda *s'est levée aussi:* Non, madame! Cette fois je ne vous laisserai
pas sortir.

La Duchesse: Pas sortir? Voilà du nouveau, Gaston! Nous sommes
prisonniers chez nous maintenant — comme sous François
Ier.   20

Amanda, *un instant démontée:* Comme sous François Ier?

La Duchesse: Oui, sous François Ier, une fois on nous a consignés
dans nos terres. Il paraît que nous y sommes morts d'ennui!

Amanda: Comprenez-moi, madame, il ne s'agit pas de vous retenir
prisonnière; mais je suis arrivée ici au train de quatorze   25
heures seize,[6] il est bientôt cinq heures et le seul train qui
puisse me ramener ce soir à Paris est à dix-sept heures trente-
neuf.[7] Si, comme je le pense, je n'ai rien à faire chez vous, je
veux pouvoir le prendre.

---

[5]Woman's hat worn about 1830. "...faire retaper mes bibis à domicile...":
to have my hats done up at home.
[6]2:16 p.m.
[7]5:39 p.m.

La Duchesse: Non, mon enfant, vous ne prendrez pas ce train.

Amanda: Et pourquoi, s'il vous plaît, madame?

La Duchesse: Il est supprimé.

Amanda: Mais il est sur tous les horaires!

5 La Duchesse: Il est sur tous les horaires, mais je puis vous affirmer qu'il est supprimé depuis hier.

Amanda, *qui croit tout possible maintenant:* C'est vous qui l'avez fait supprimer pour m'empêcher de quitter ce château, n'est-ce pas?

10 La Duchesse: Sous Louis XV, ma petite fille, je l'aurais certainement fait. Malheureusement, depuis 89, ma famille a perdu tout ascendant sur l'administration. Ainsi ce n'est pas moi. Et vous savez qui c'est? Ce sont les francs-maçons qui ont fait le coup.

15   *Elle la fait asseoir et commence.*

Figurez-vous, ma chère enfant, qu'ils se sont aperçus que ce train permettait aux bonnes gens des environs de venir visiter ma basilique. Et le fait est que nous commencions tout douce- ment à faire recette (il faut vous dire que j'avais institué tout
20 un système de primes: médailles, chapelets, petits cierges bé- nits... Je suis de mon temps et je sais que sans publicité, de nos jours, on n'a rien). Tout d'un coup, crac! Sans que j'aie eu le temps de lever le petit doigt, ils me suppriment mon train! Oh! mais je ne me tiens pas pour battue. Vous savez ce
25 que je vais faire pour parer la botte,[8] moi, une d'Andinet d'Andaine? Je vais m'entendre avec Citroën.

                                   Sur ce coup d'éclat, elle va sortir.

Amanda, *qui n'en peut plus, pleurniche en la suivant:* Mais je n'y com- prends rien, moi, madame, à votre histoire de basilique, de
30 train et de francs-maçons. Je suis là depuis plus de deux heures à attendre; je n'ai même pas eu le temps de déjeuner ce matin avant de partir de chez moi.

---

[8]Fencing term: to parry a thrust. Here: to strike back.

La Duchesse: Pas déjeuné? pas déjeuné? Je vous ai commandé un
œuf pour vous faire engraisser. Des œufs, des farineux, des
farineux, des œufs. Et n'allez pas croire que c'est un conseil
de bonne femme. Un grand spécialiste viennois m'a fait
payer mille francs pour me dire cela. Et qu'est-ce qu'il fait, 5
d'abord, cet œuf? Je vais le chercher.
> *Elle va encore sortir. Amanda lance dans une plainte.*

Amanda: Oh! non, madame! non, ne sortez pas encore une fois sans
me dire, je deviens folle.

La Duchesse *s'est arrêtée sur le seuil, solennelle:* Mon enfant, vous avez 10
l'air d'avoir oublié d'être sotte. Je vais vous faire un aveu.
Je n'ai pas soixante ans, j'en ai soixante-sept. J'ai connu le
général Boulanger, les débuts de l'aviation, la fin du corset,
les cheveux courts, la guerre mondiale. Si je vous dis que
je suis une vieille bonne femme qui a eu l'occasion d'en voir 15
de toutes les couleurs, vous me ferez la grâce de me croire,
n'est-ce pas?

Amanda, *épuisée:* Oui, madame.

La Duchesse: Eh bien, si j'entre et si je sors de ce salon depuis
deux heures comme une girouette, c'est parce que je n'ose 20
pas vous dire pourquoi je vous ai fait venir ici.
> *Elle sort. Amanda l'a regardée s'en aller encore, aba-
> sourdie, puis elle saute sur sa valise, moitié apeurée, moitié en
> colère.*

Amanda: Ah! non, cette fois, ils m'ont vue, ces toqués! J'aime mieux 25
rentrer à Paris à pied!
> *Elle ouvre une porte-fenêtre, regarde si on ne la voit pas et
> s'en va en courant par le jardin. Trémolo à l'orchestre.
> La scène reste vide une seconde; entrent la duchesse et Hector.*

La Duchesse: Hector! Hector!... Où est-elle, Hector? Où est-elle? 30
Je suis saisie d'un affreux pressentiment.

Hector, *qui regarde stupidement sous les meubles:* Pour une fois il me
paraît justifié. Elle est partie.

Lᴀ Dᴜᴄʜᴇssᴇ *lui prend le bras:* Hector, si elle le rencontre dans le parc, nous sommes perdus!

> *Ils sortent précipitamment. Le noir. Une courte musique qui s'achève sur un gazouillis d'oiseaux. Quand la lumière revient, nous sommes dans un paysage très agreste.*

5

LE RIDEAU TOMBE

DEUXIÈME TABLEAU

Un carrefour dans le parc du château, un banc circulaire
autour d'un petit obélisque. Dans un coin, arrêté près d'un
gros arbre, un taxi démodé — deux jambes débordent du
capot. Quand on le regarde bien, on s'aperçoit que c'est un
drôle de taxi, délavé, vieillot. Il est entouré de lierre et de 5
chèvrefeuille. Il y a un coq qui s'égosille sur le toit. Non loin
de là une boutique de marchand de glaces ambulant rose
bonbon et vert. Des jambes en débordent également.
Amanda entre en courant avec sa valise. Elle s'arrête en
voyant le taxi et pousse un cri de joie. 10

AMANDA: Mon Dieu! quel bonheur. Un taxi!
> *Elle cherche, ne voit d'abord personne, puis découvre les*
> *jambes.*

Monsieur...

UNE VOIX, *qui vient d'autre part:* Quoi, monsieur? 15

AMANDA: C'est à vous ces jambes?
> *Un aimable vieillard se dresse de derrière la boutique de*
> *marchand de glaces, il demande posément en rajustant son*
> *lorgnon.*

10

LE MARCHAND DE GLACES: Lesquelles?

> *Amanda, muette de confusion, lui désigne les jambes qui débordent du capot.*

5 LE MARCHAND DE GLACES, *simplement, avant de retourner avec son journal derrière sa boutique:* Non. Pas celles-là.

AMANDA *lui crie avant qu'il disparaisse:* Monsieur, s'il vous plaît?

> *L'homme se détourne.*

Est-ce que je suis encore dans le parc du château de Pont-au-Bronc? Il y a si longtemps que je marche...

10 LE MARCHAND DE GLACES, *lugubre:* Oui, mademoiselle... Si longtemps qu'on marche ici, on est toujours dans le parc du château de Pont-au-Bronc.

> *Les oiseaux ou la ritournelle de l'orchestre se moquent de la frayeur d'Amanda. Elle a soudain empoigné sa valise, elle*
15 > *court au taxi.*

AMANDA: Monsieur, taxi, vous êtes libre?

LE CHAUFFEUR, *à ces mots sort furieux de sous sa voiture:* Bien sûr que je suis libre... Manquerait[1] plus que ça alors que je soye pas libre en France à notre époque.

20 AMANDA, *remerciant le Ciel:* Ah! merci, mon Dieu... Sauvée.

> *Elle s'engouffre par la portière du taxi en criant:*

Conduisez-moi immédiatement à la gare de Pont-au-Bronc!

> *Le chauffeur l'a regardée entrer dans son taxi mi-étonné, mi-goguenard. Elle en ressort immédiatement par l'autre*
25 > *portière avec un cri.*

AMANDA: Chauffeur!

LE CHAUFFEUR: Oui?

AMANDA *va à lui, défaite:* Il y a des lapins dans votre taxi.

---

[1]Supply "il ne," which may be dropped in colloquial speech. "Il ne manquerait plus que ça:" that's all I'd need.

LE CHAUFFEUR: Mais bien sûr qu'il y a des lapins dans mon taxi.
Il commence à se mettre en colère tout seul.

J'ai pas[2] le droit d'élever des lapins, moi, peut-être? Dites, j'ai pas le droit d'élever des lapins?

AMANDA, *qui recule:* Mais si, monsieur... Vous avez tout à fait le   5
droit d'élever des lapins.

LE CHAUFFEUR: Je suis un être humain comme les autres après tout. Ce n'est pas une raison parce qu'ils me donnent trois mille francs par mois à rien foutre...[3] D'abord je l'avais toujours juré, moi, que je serais jamais[4] chauffeur de maître. Mécani-   10
cien qu'ils disent... Larbin plutôt, oui. Merci. Vous entendez? Merci! Merci!

AMANDA, *qui recule toujours:* Mais de rien, monsieur, de rien...
En reculant, elle s'accroche à quelque chose, elle pousse un cri, car tout lui fait peur maintenant. Elle regarde ce que   15
c'était, se rassure, a un petit sourire au chauffeur pour excuser son cri.

Je vous demande pardon, je suis un peu nerveuse aujourd'hui...   *Elle respire.*

C'est du lierre...   20

LE CHAUFFEUR, *qui s'est calmé:* Mais bien sûr, c'est du lierre.
Il retourne à son moteur.

Ça pousse tout seul cette saleté-là... J'ai bien essayé les rosiers grimpants; mais les petits soins, les mamours au sécateur, les arrosages, pas question...[5] J'ai mis du lierre, ça fait gai et ça   25
vient tout seul.

AMANDA: Du lierre... Mais quand vous roulez, qu'est-ce qu'il fait?

[2]Colloquial for "je n'ai pas."
[3]Translate: "not to do a darn thing."
[4]Colloquial for "je ne serais jamais."
[5]Colloquial for "il n'y en a pas question."

Le Chauffeur: Qui?

Amanda: Le... le lierre...

Elle demande clignant les yeux avec un pâle sourire, car tout est vraiment possible ici.

5   Il... vous suit?

Le Chauffeur, *que cette idée met en joie:* Ah! vous êtes drôle, vous, alors... En quoi que vous croyez qu'il est, mon lierre,[6] en « cayoutchouc »[7] — dites — en élastique?

Il appelle.

10   Hé! Joseph!

Le Marchand de Glaces *réapparaît:* Quoi?

Le Chauffeur: Elle est marrante, la petite... Elle me demande s'il me suit, mon lierre... Dis, tu me vois le soir quand je vais lui faire faire son pipi sur les boulevards...

15   *Il appelle.*

Petit, petit, petit, veux-tu suivre! Voyons! vilain méchant, tu vas te perdre...

Amanda, *qui a continué son inspection:* Mais il ne marche pas, votre taxi, il est plein de racines partout!

20 Le Chauffeur *se vexe:* Comment? Comment? Il ne marche pas, mon taxi? Joseph, elle dit qu'il ne marche pas, mon taxi...

Il va au moteur, furieux, donne un tour de manivelle, le moteur tourne rond. Il triomphe.

Regardez s'il ne marche pas, mon taxi!

25 Amanda: Ah! non, je vous en supplie... Je vous en supplie, ne le faites pas marcher *avec le lierre.* Je deviens folle. J'ai déjà vu assez de choses extraordinaires aujourd'hui.

Elle va au marchand de glaces.

Monsieur, vous êtes bien un marchand de glaces?

---

[6]Translate: "What do you think my ivy is made of."
[7]Caoutchouc.

LE MARCHAND DE GLACES: Oui, mademoiselle.

AMANDA: Alors vous n'avez probablement pas de glaces à me vendre? Je meurs de soif...

LE MARCHAND DE GLACES: Une glace? Ah! ma pauvre enfant, cela fait deux ans, vous entendez, deux ans, que je ne fais plus de 5 glaces... Je voudrais en faire maintenant que je ne saurais peut-être même plus!

AMANDA: C'est bien ce que je pensais... Cela me rassure un peu, vous voyez... Les choses commencent à prendre un petit air de logique au milieu de leur extravagance. Ce qui m'aurait 10 plutôt paru louche, c'est si vous aviez été vraiment un marchand de glaces, qui vend de vraies glaces, des glaces qui font froid... Un service encore.

Elle lui tend quelque chose.

LE MARCHAND DE GLACES: Une épingle? Qu'est-ce que vous voulez 15 que j'en fasse de votre épingle?

AMANDA: Piquez-moi, monsieur, s'il vous plaît... Pas trop fort tout de même, monsieur, juste pour voir.

LE MARCHAND DE GLACES, *la piquant:* Faut[8] avouer qu'elle est marrante!   20

LE CHAUFFEUR: Elle est pas[9] marrante, elle est sonnée, oui!

AMANDA: Aïe! Merci, monsieur... Merci beaucoup. Je suis très contente... Rendez-moi mon épingle maintenant... On en a toujours besoin dans la vie. Parce que moi, je suis vivante, vous entendez... Quand on me pique, moi, je le sens. Et 25 j'ai deux jambes et je peux marcher, moi. Et je ne vais même pas vous demander où est la gare de Pont-au-Bronc, je vais marcher droit devant moi jusqu'à ce que je trouve une route. Et sur cette route il y aura une borne. Parce que dans la vie — dans notre vie à nous — il y a des bornes kilomé- 30 triques sur les routes — et je lirai avec mes yeux qui savent

_____

[8]Colloquial for "il faut."
[9]Colloquial for "elle n'est pas."

lire et j'irai avec mes jambes qui savent marcher jusqu'à la
gare de Pont-au-Bronc et là je trouverai un chef de gare — un
chef de gare qui sera un vrai chef de gare...

> *Elle prend sa valise avec un soupir tout près des larmes.*

5   Enfin, je l'espère...

> *Comme elle va sortir elle se heurte à la duchesse qui arrive
> en trombe avec Hector.*

LA DUCHESSE : Dieu soit loué, nous la retrouvons!

> *Elle tombe sur le banc circulaire.*

10   Ah! mon enfant, vous m'avez fait mourir de peur, je suis
brisée...

AMANDA, *qui s'est assise aussi:* Oh! n'essayez pas de me faire pitié...
Moi aussi, je suis brisée, madame, moi aussi, je suis morte de
peur.

15 LA DUCHESSE : Et peur de quoi, mon Dieu?

AMANDA : Mais de tout, madame, et de vous d'abord...

LA DUCHESSE : De moi? Quelle drôle d'idée, Hector.

AMANDA, *qui s'anime:* De ce chauffeur de taxi dont le taxi est enraciné,
de ce marchand de glaces qui ne vend pas de glaces, de ce
20   parc dont on ne peut jamais sortir... Où suis-je enfin,
madame? et que me voulez-vous? Je suis une ouvrière de la
rue de la Paix; je n'ai jamais eu d'aventures, je n'ai pas
d'argent, pas les plus petites économies, pas d'ami sérieux
pour payer ma rançon — alors pourquoi?

25 LA DUCHESSE : Pourquoi, quoi?

AMANDA : Pourquoi m'avez-vous fait renvoyer de chez Réséda
Sœurs? Pourquoi m'avez-vous attirée ici en me promettant
une place — une place de quoi d'abord au milieu de ces
énergumènes? Une place de modiste qui ne fait pas de cha-
30   peaux, probablement.

> *Elle se lève, résolue.*

Et puis d'abord vous ne me faites peur ni les uns ni les autres!
Où est la gare de Pont-au-Bronc? Je vous somme de me dire
tout de suite où est la gare de Pont-au-Bronc!

La Duchesse: Elle est adorable, Hector.

Hector: Adorable.

Amanda *est retombée assise, à bout de forces, elle balbutie au milieu de ses premières larmes:* Où est la gare de Pont-au-Bronc?

La Duchesse *pousse un cri et lui prend les mains:* Ah! non, surtout ne ⁵ pleurez pas! Je suis incapable de voir pleurer quelqu'un sans sangloter moi-même et me rouler par terre... Pour peu que vous soyez également sensible et que mon chagrin vous tire de nouvelles larmes, voyez-moi si cela serait gai! Nous ne nous arrêterions plus... Je comprends votre désarroi, mon ¹⁰ enfant, et votre curiosité. Je vais mettre fin à l'un et à l'autre. L'heure des explications a sonné, si pénibles qu'elles puissent être... Je vais tout vous rendre clair, en un mot. Voilà, mademoiselle, j'ai un neveu. Un neveu que j'adore plus que tout au monde et qui s'appelle Albert. Ce malheureux ¹⁵ enfant est en proie à la plus étrange mélancolie...

Elle renifle soudain.

Continuez, Hector. C'est une suite d'aventures si poignantes que je n'ai vraiment pas le courage de la raconter une fois de plus. ²⁰

Hector se lève cérémonieusement; elle le présente d'un tout autre ton.

Mon cousin le baron d'Andinet d'Andaine.

Hector salue, Amanda fait une petite révérence; il va parler, la duchesse le coupe. ²⁵

Le baron Hector. Qu'il ne faut pas confondre avec le baron Jérôme, l'attaché au consulat d'Honolulu; ni avec le baron Jasmin, le fils de la générale.¹⁰ Le baron Hector.

Hector salue encore et va parler, la duchesse l'interrompt.

D'ailleurs pour le baron Jasmin la confusion n'est plus pos- ³⁰ sible, il est décédé. Parlez, mon cher Hector.

Hector: Voilà, mademoiselle, mon cousin le prince Troubiscoï...

¹⁰The General's wife.

LA DUCHESSE : Oui, ma sœur cadette, la pauvre enfant, était devenue
Troubiscoï par son second mariage. C'était au moment du
voyage du tsar... Le charme slave... Nous avons bien chanté
tout cela. D'ailleurs elle en est morte. Continuez, Hector.

5 HECTOR : Mon cousin le prince Troubiscoï...

LA DUCHESSE : Dites le prince Albert, voyons, elle pourrait croire
qu'il s'agit de l'autre — vous savez qui je veux dire —
l'imbécile, celui qui a épousé une Anglaise, Patrick Troubiscoï.
A Amanda très naturellement.

10 Vous avez peut-être eu l'occasion de le rencontrer?

AMANDA : Non, madame.

LA DUCHESSE : Cela m'étonne. On le voit partout. Continuez,
Hector.

HECTOR : Il y a quelques années, donc, mon cousin le prince Albert
15 Troubiscoï a fait la connaissance à Dinard[11] tout près d'ici,
d'une jeune femme...

LA DUCHESSE *le coupe:* Taisez-vous, mon cher! Vous racontez ce
merveilleux roman avec une telle platitude que j'aime mieux
souffrir encore et mettre moi-même cette jeune personne
20 au courant. Mon petit Albert a follement aimé il y deux ans,
mademoiselle, une femme d'une grande beauté et d'une race
incomparable... Une femme dont vous avez certainement
entendu parler à l'époque; j'ai nommé: Léocadia Gardi.

AMANDA : La grande cantatrice?

25 LA DUCHESSE : Oui, mon enfant, la grande, l'immense cantatrice.
Celle qu'on appelait la divine. Ah! quelle voix, quelle voix
quand elle attaquait la reprise du prélude d' « Astarté! »[12]
Elle commence à chanter.

« *Salut, Seigneur, sur cette terre...* »
30 *Elle s'arrête.*

[11]Seaside resort in the department of Ille-et-Vilaine on the English Channel.
[12]Opera written in 1901 by Xavier Leroux, a pupil of Massenet.

Malheureusement, moi, je n'ai pas de voix. J'en avais quand
j'étais jeune, un filet—un filet qu'on disait délicieux. Seulement un jour j'ai bu trop d'eau froide et il s'est tari, ce filet.
Tari. C'est curieux, n'est-ce pas? Pourtant, de l'eau... Enfin!
je n'ai jamais cherché à comprendre. Les médecins sont de tels   5
originaux. Toujours est-il que je n'ai plus de voix. Qu'est-
ce que je disais?

HECTOR: Léocadia...

LA DUCHESSE: Léocadia, c'est juste. Donc vous me disiez que vous
la connaissiez très bien, cette chère Léocadia. C'est une   10
bonne chose et qui peut nous aider beaucoup.

AMANDA: C'est-à-dire... je ne la connaissais pas très bien... J'avais
lu au moment de sa mort dans les journaux.

LA DUCHESSE: Hélas!... Vous savez comment elle est morte?

AMANDA: Un accident, je crois?   15

LA DUCHESSE: Oui. La pauvre grande chère portait toujours d'immenses écharpes... très personnelles d'ailleurs, très « up
to date » . Ces écharpes, elle avait, en vous quittant, une
façon inoubliable de les nouer. C'était en tout une pas-
sionnée... Un soir, après une discussion d'art, elle quitte   20
des amis sur le seuil de leur villa, elle veut nouer son écharpe
en leur criant adieu, mais son geste la dépasse : elle s'étrangle.
Elle pousse un cri, un seul — étranglé d'ailleurs — et elle
tombe, morte.

Elle renifle soudain.   25

Achevez, Hector, je ne puis plus...

HECTOR, *qui trouve que c'est fini, se contente de répéter:* Morte.

LA DUCHESSE: C'est trois jours avant que mon petit Albert s'était
mis à l'aimer. Mais ces trois jours devaient le marquer
pour toujours. Vous commencez à comprendre maintenant?   30

AMANDA: Non.

LA DUCHESSE: C'est bien, je continue... Quand il apprit la terrible
nouvelle, Albert voulut d'abord se jeter du balcon. Je me

cramponnai aux basques de son veston et le retins. Mais
ce n'était que parer au plus pressé. Il fallait songer à l'avenir.
Je décidai de le faire voyager. Nous fîmes une croisière
inoubliable — la plus chère — un tour du monde et demi...
5 Mais en vain. Nous passâmes les cent vingt-deux jours de ce
périple,[13] lui assis dans sa cabine à contempler la photographie
de la chère disparue, moi assise dans la mienne à le surveiller
par la porte entrouverte afin qu'il ne se jetât pas par le hublot... Ah! mon enfant. Vous dirai-je en détail ce que fut
10 pour moi ce long martyre?

AMANDA, *qui commence à en avoir assez:* Non.

LA DUCHESSE: Non. Vous avez raison, cela serait trop long et trop
pénible... Sachez seulement que moi, qui suis la curiosité même, j'ai fait un tour du monde et demi le nez devant
15 une porte! Parfois aux escales ma passion de tout savoir, de
tout connaître l'emportait. Je jetais un coup d'œil au hublot.
J'entr'apercevais un turban, je me disais, bon : c'est l'Inde...
Une natte sur une nuque: c'est la Chine... Une fumée
sur un volcan: c'est l'Italie, nous approchons... Ce n'est
20 qu'en touchant le sol français et l'ayant confié à des amis
très chers que je consentis enfin à penser un peu à moi-
même: le chagrin et l'inquiétude m'avaient fait perdre dix-
sept kilos... Mais, Dieu merci, c'était sans gravité — car
l'immobilité forcée de ces cent vingt-deux jours me les avait
25 fait reprendre... Nous voici donc à Marseille. Vous me
suivez? Je vais peut-être un peu vite pour vous?

AMANDA: Non, madame...

LA DUCHESSE: Un bon point. Nous rentrons au plus vite à Pont-au-
Bronc pour y achever les vacances. Là je commence enfin
30 à sentir que la douleur d'Albert est moins vive. Mais pourtant sa mélancolie m'inquiète... Je le fais suivre par mes
espions qui se relaient et me rapportent heure par heure tout
ce qu'il fait. J'apprends qu'il passe ses journées autour de
Dinard, bavardant tantôt avec un chauffeur de taxi, tantôt

---

[13]Periplus. Here, a trip around the world.

avec un vieux marchand de glaces, tantôt avec le garçon
d'une misérable petite auberge de Sainte-Anne-du-Pouldu...
Quant à ses nuits, il les passe uniformément dans une boîte de
tziganes, toujours la même, à une même table, servi par le
même maître d'hôtel... Septembre vient. Dinard se vide;   5
toutes les boîtes se ferment, celle-ci reste ouverte et Albert
continue, solitaire, à y passer ses nuits. Je n'ai pas pour
habitude de me mêler de ce qui ne me regarde pas, mais
pourtant je me pique. Il me faut la clef du mystère...
J'apprends bientôt qu'il commandite l'établissement qui   10
devait être en faillite depuis longtemps pour le seul plaisir de
venir s'asseoir toutes les nuits à cette même table. D'abord, je
ne comprends pas et puis, tout d'un coup, je comprends!

AMANDA, *que cette histoire d'amour a commencé à émouvoir:* C'était là
qu'ils s'étaient dit pour la première fois qu'ils s'aimaient?...   15

LA DUCHESSE *la regarde et s'écrie:* Ah! Hector, Hector! admirable petite
âme populaire française!... Ce qu'il nous a fallu si longtemps
pour admettre avec nos intelligences, le cœur de cette petite
s'entrouvre et tout de suite elle le comprend... Car vous
avez compris, mon enfant : le chauffeur de taxi, le marchand   20
de glaces, l'auberge du Pouldu, la boîte à tziganes — et
j'en passe — c'étaient les témoins de son amour avec la
« Divine » que mon pauvre petit Albert allait retrouver
chaque jour depuis trois mois.

AMANDA, *rêveuse:* C'est beau tout de même d'aimer comme ça...   25

LA DUCHESSE : N'est-ce pas? C'est admirable. Mais mettez-vous à
ma place... Albert est un Troubiscoï et — avant tout
pour moi — un d'Andinet d'Andaine. N'allez pas croire
que je sois un fossile réactionnaire. Non... En 1919, écœurée
par ce que j'avais vu pendant la guerre, je suis une des pre-   30
mières infirmières-majors qui aient voulu s'inscrire à la
C.G.T.[14] Mais tout de même, tout de même... Avouez que ce
n'est vraiment pas la peine de s'être donné un mal de chien
pour dominer la moitié du pays depuis le règne de Louis le

[14]Confédération Générale du Travail, a French labor union.

Gros[15] si l'on doit laisser sept cents ans plus tard son neveu baguenauder dans les rues avec des chauffeurs de taxi et des marchands de glaces... Autant vendre de la dentelle au mètre, et s'appeler tout de suite Dupont!...[16] Qu'est-ce que je disais?

HECTOR: Vous vous êtes aperçue...

LA DUCHESSE *retrouve son fil:* Ah! c'est juste. Je me suis aperçue que ces gens dont je ne comprenais pas au premier abord l'attirance étaient tout simplement le souvenir de mon petit Albert... Mais dès que je l'eus compris (je suis collectionneuse dans l'âme) j'entrepris d'en faire un assortiment. En quinze jours d'enquêtes et de tractations, tous ceux qui avaient approché le couple pendant ces trois jours de bonheur se trouvaient engagés à l'année dans le personnel de Pont-au-Bronc. Ce n'est pas tout. Comme je sentais que le décor, lui aussi, devait jouer un grand rôle dans les rêves de mon petit Albert, j'ai acheté le taxi, la boutique de glaces, les bancs de squares où ils s'étaient assis... Les bancs, ça été le plus dur. J'ai dû faire un procès à la ville — mais je l'ai gagné... L'auberge du Pouldu et la boîte de nuit, tout a été reconstruit pierre à pierre dans mon parc.

AMANDA: Quel conte de fées!

LA DUCHESSE: Mais non, c'était la moindre des choses... Grâce au ciel ces pauvres enfants n'avaient visité ensemble aucun monument historique, aucun ouvrage fortifié. Car cela, malgré mes attaches avec le haut état-major, cela aurait été beaucoup plus délicat à démolir.

AMANDA: Comme vous devez l'aimer, madame, votre neveu!

LA DUCHESSE: Je l'adore, ma chère enfant, et quand vous le connaîtrez vous l'adorerez comme moi! Et puis que voulez-vous, moi, je suis une casanière, j'aime mes aises pardessus tout... Alors, de même qu'il se fait raser chaque matin par son

[15]French King, 1081–1137.
[16]A common nonaristocratic name.

coiffeur à domicile, je veux que mon petit Albert puisse se
souvenir commodément chez lui.

AMANDA: Mais tout cela ne m'explique pas ce que je fais, moi,
ici, madame. Je suis prête à vous jurer sur la tombe de
maman qui est morte que je n'ai jamais connu, jamais vu,   5
jamais été vue de monsieur votre neveu — surtout pendant
ces trois jours fatidiques — et que je ne peux à aucun titre
faire partie de ses souvenirs... D'ailleurs, je n'ai de ma vie,
madame, mis les pieds à Dinard—et à l'époque de la mort de
Léocadia Gardi j'étais chez Réséda Sœurs du matin au soir. 10
La seconde de l'atelier, Mlle Estelle, pourra vous le certifier,
madame. C'était ma première année dans la maison et je
n'ai pas eu le plus petit congé cet été-là — on vous le prouvera
— qui m'ait permis de venir jouer les souvenirs sur la côte
d'Emeraude!   15

LA DUCHESSE, *à Hector:* Elle m'amuse beaucoup.

HECTOR: Il faut avouer qu'elle a du piquant.

LA DUCHESSE: Ce n'est pas du piquant, mon cher, c'est de l'esprit
et du meilleur.

HECTOR: De l'esprit, soit — mais un esprit piquant.   20

LA DUCHESSE *hausse les épaules:* Un esprit piquant, un esprit piquant...
boh! boh! boh!

                                                        A Amanda.

Ne l'écoutez pas, ma chère enfant, depuis qu'on lui fait du
cacodylate à la fesse ce pauvre ami voit du piquant partout... 25
Vous avez de l'esprit. Un point c'est tout. Et c'est déjà très
bien ainsi. De nos jours n'en a pas qui veut.[17]

AMANDA: Eh bien, j'ai de l'esprit, c'est entendu. Je consens même
à ce qu'il soit piquant si cela peut faire plaisir à monsieur...
Mais vous n'allez pourtant pas me faire croire que c'est   30
pour mon esprit, dont la renommée a franchi tout d'un coup
les frontières de la rue de la Paix et de la place Vendôme, que
vous m'avez fait venir ici?

[17]Translate: "it's not for the asking" (referring to *l'esprit*).

La Duchesse: Non, mon enfant.

> *Elle se trouble soudain.*

Mais quelle heure est-il? Nous bavardons, nous bavardons...

Amanda *la fait asseoir de force:* Asseyez-vous, madame, et répondez-moi une bonne fois. L'heure qu'il est n'a rien à voir à tout cela. C'est quelqu'un à qui vous avez fait rater successivement tous ses trains qui vous le dit!

La Duchesse: Ma petite fille, on ne m'a jamais parlé sur ce ton.

Amanda: Eh bien, moi, on ne m'a jamais attirée dans des guets-apens en Bretagne; on ne m'a jamais fait faire je ne sais combien de kilomètres en me promettant une place pour ne pas vouloir me dire ensuite en quoi elle consistait.

La Duchesse, *à Hector:* Nous nous faisons agonir, mon cher, mais avouons que nous l'avons bien mérité.

> *Elle prend un air de résolution.*

Il faut parler.

Hector, *sans chaleur:* Parlons.

La Duchesse: Parlons.

> *Un silence gêné, ils regardent au loin, gênés.*

La Duchesse, *soudain:* Hector.

Hector: Oui.

La Duchesse: Vous êtes un homme?

Hector: Non.

La Duchesse, *désarçonnée:* Comment non?

Hector, *piteux mais ferme:* C'est vous qui me l'avez dit mille fois.

La Duchesse, *lâche:* Je plaisantais. Vous êtes un homme. Parlez à cette enfant qui en est réduite à supposer le pire.

Amanda: Le pire, oui, madame, le pire.

La Duchesse *soupire:* Ah! si ce n'était que le pire, ma petite, cela ne
  serait rien. C'est pire que le pire. En français cela a l'air
  idiot ce que je dis, mais il doit sûrement y avoir un mot
  anglais qui exprime cela très bien. Parlez, Hector, nous vous
  écoutons.   5

Hector, *après avoir pris une bouffée d'air, va commencer:* Voilà.
                                      Un temps; sa voix s'étrangle.

  Non, je ne peux pas. C'est vous qui avez eu cette idée après
  tout!

La Duchesse: Alors je vais vous faire une proposition, parlons 10
  ensemble.

Hector: Ensemble?

La Duchesse: Oui, disons ensemble à cette enfant le petit speech
  de préambule que nous avions préparé ce matin, par cœur.

Hector: Le texte exact?   15

La Duchesse: Le texte exact. Attention, je donne le départ. Ne tri-
  chez pas. Une, deux, trois... Prêt?

Hector: Prêt.

La Duchesse: Feu!
                                Ils font un pas en avant et commencent. 20

La Duchesse et Hector, *ensemble:* Mademoiselle... ou plutôt — mon
  enfant — car notre différence d'âge et notre expérience...
  peuvent nous permettre... de vous appeler ainsi.
          Ils se regardent et règlent leurs respirations. Ils repartent.

  Mon enfant donc... Ce que nous avons à vous dire va vous 25
  paraître bien scabreux dans des bouches aussi respectables
  que les nôtres...
          *Hector s'est arrêté quelques mots avant la duchesse. Elle
          le regarde sévèrement.*

La Duchesse: Eh bien, Hector?   30

Hector *se met à pleurer:* Non, je ne peux pas... Même ensemble je
  ne peux pas!

La Duchesse, *méprisante*: Et quand je pense qu'un d'Andinet d'Andaine a défendu un pont, tout seul, contre deux cents Albigeois!

Hector, *qui ne sait plus ce qu'il dit*: Eh bien, faites venir des Albigeois... Je défendrai au besoin un pont... Mais pas cela... Tout mon être se révolte... Pas cela!

La Duchesse: C'est bien. Dans ce cas, sortez! Laissez-moi seule avec elle. Puisque le chef de cette famille déserte devant l'ennemi, je me chargerai moi-même de tout. Sortez.
> *Hector sort la tête basse. La duchesse quitte son attitude d'écrasant mépris. Elle attire Amanda près d'elle, et reprend plus bas, d'un autre ton où il entre moins de bouffonnerie mais, sous l'humour, une vraie intelligence qui la rend soudain presque humaine.*

Voilà, mon enfant. Je dois vous paraître imbécile... Non, non, ne protestez pas; je vais vous rassurer moi-même, je ne le suis pas. Je sais très bien que ce que je vais vous dire va vous blesser. Vous allez vous lever de ce banc, reprendre dignement votre petite valise de carton, me glisser entre les mains...
> *Elle la regarde, elle continue.*

Si j'avais eu une fille, tout ce que vous allez faire, je le sens bien, hélas! —j'eusse voulu qu'elle le fît... Mais après tout, nous sommes entre nous et bien pareilles à peu de choses près, au fond de ce parc désert, dans ce soir qui, en tombant, atténue déjà un peu nos apparences...
> *Elle rêve un peu.*

Si j'avais une fille... Mais je n'ai pas de fille. Je n'ai jamais pu avoir d'enfant. Est-ce le duc, pauvre cher incapable, ou moi? Quand il est mort, j'étais trop vieille pour le vérifier avec un autre. Je n'ai pas de fille... Mais j'ai un neveu. Et si j'ai fait pour lui toutes les extravagances que j'ai dû vous raconter tout à l'heure par le menu pour arriver à ce que je vais vous dire maintenant, c'est que je l'aime, tout bonnement, et que l'extravagance est mon élément naturel.
> *Elle la regarde encore, elle reprend.*

Si j'avais une fille... Oui, bien sûr. Mais le Ciel nous donne
des places, des fardeaux divers tous aussi lourds, des petits
avantages tout de suite oubliés, des bouts de rôles tous aussi
bêtes à jouer, croyez-le, ma pauvre enfant. Le mien devait
se terminer, vous allez le voir, sur une composition bien   5
inattendue pour une femme de ma classe... Mais pour vous
qui êtes là, toute seule devant la vie, toute nue sous votre
petite robe de quatre sous, cela pourrait vous être si facile,
de combler tout d'un coup une vieille bonne femme qui
est au bout de son rouleau.   10

AMANDA *murmure:* Je ne vous comprends pas très bien, madame.

LA DUCHESSE: C'est exprès, mon enfant... Je bavarde, je bavarde
pour qu'il fasse tout à fait noir et que vous ne me voyiez pas
rougir quand je vous demanderai ce que je vais vous demander tout à l'heure. Mes joues me brûlent déjà. Comme 15
c'est drôle des joues qui brûlent... Pour retrouver cette
sensation en moi, il faut que je remonte jusqu'à une petite
fille en crinoline avec des pantalons brodés qui dépassent
— une petite fille qu'on avait mise au coin parce qu'elle
n'avait pas voulu saluer le maréchal de Mac-Mahon.[18]   20
                          Elle rêve encore, le soir descend.

AMANDA *murmure:* Il fait tout à fait noir maintenant.

LA DUCHESSE, *d'une drôle de voix brusque dans l'ombre:* Dites-moi,
mon enfant, vous avez déjà eu des amants?

AMANDA *a un petit recul:* Des amants?   25

LA DUCHESSE: Des amourettes sans conséquences... Une partie
d'ânes à Robinson,[19] on se plaît, on s'embrasse... Allons bon!
voilà que je radote. Je mélange toutes les époques. Des
parties d'ânes à Robinson! Je veux dire une guinguette
dans la campagne où vont les grisettes de maintenant... 30
                          Un silence, Amanda ne répond pas.

[18]Marshal and President of France, 1873–1879.
[19]Translate: "A donkey ride at Robinson." Robinson is a suburb of Paris,
popular at the end of the nineteenth century for its picnic grounds and donkey
rides.

La Duchesse, *un peu lasse:* Bien, je vous effraie et sans doute pis.
Je vous dégoûte. Je ne vous demande pas si vous avez aimé.
Je ne suis pas une voleuse de secrets. Je parle des amourettes...

5 Amanda, *d'une toute petite voix après un autre silence:* Oui, j'ai eu des
amants, bien sûr. Mais je n'ai jamais aimé.

La Duchesse: La vie est pleine d'imprévu et ce bonheur vous sera
sûrement donné un jour. Il faut l'attendre en vivant le plus
intelligemment possible tous les jours un par un et puis,
10 quand on le rencontre, être bien bête tout d'un coup et tout
manger à la fois. Mais laissons l'amour...

Un temps, elle reprend plus bas.

Mon petit Albert est un joli garçon plein d'attrait et d'une
vraie jeunesse qui dort derrière son chagrin... Il se tuera de-
15 main, mademoiselle, je le sais, demain ou un autre jour, s'il ne
retrouve rien de Léocadia — que des pierres et des imbéciles
qui l'ont connue mais ne savent pas lui parler d'elle... Je suis
une vieille femme très puissante malgré la République et
follement riche, et je l'aurai vu mourir sans pouvoir lever
20 le petit doigt. Et je resterai seule après, inutile comme un
vieux clou.

Amanda: Je ne vous comprends toujours pas. Que puis-je pour
lui, madame? Je n'ose pas croire que vous avez pu penser... Pourquoi moi, d'ailleurs? Je ne suis pas particulière-
25 ment jolie. Et puis même très jolie — qui pourrait se glisser
ainsi tout d'un coup entre lui et son souvenir?

La Duchesse: Personne autre que vous.

Amanda, *sincèrement surprise:* Que moi?

La Duchesse: Mon enfant, le monde est si bête, il ne voit que des
30 parades, des gestes, des écharpes... Si bien qu'on n'a jamais
dû vous le dire. Mais mon cœur à moi ne m'a pas trompée
— j'ai failli crier chez Réséda Sœurs la première fois que je
vous ai vue. Pour quelqu'un qui a connu d'elle autre chose
que son fantôme, vous êtes le portrait vivant de Léocadia.

*Un silence. Les oiseaux du soir ont maintenant pris la
relève des oiseaux de l'après-midi. Le parc est plein d'om-
bres et de murmures.*

AMANDA, *tout doucement:* Je crois que je ne peux tout de même pas,
madame. Je n'ai rien, je ne suis rien, mais ces amants...   5
c'était tout de même mon caprice, n'est-ce pas?
*Elle s'est levée comme pour un congé, elle a repris sa petite
valise.*

LA DUCHESSE, *doucement aussi et très lasse:* Bien sûr, mon petit. Je vous
demande pardon.   10
*Elle se lève à son tour péniblement comme une vieille. On
entend le timbre d'une bicyclette dans le soir; elle tressaille.*

Ecoutez... C'est lui! Montrez-vous seulement à lui appuyée à ce
petit obélisque où il l'a rencontrée la première fois. Qu'il
vous voie, ne fût-ce que cette seule fois, qu'il crie quelque 15
chose, qu'il s'intéresse soudain à cette ressemblance, à ce
stratagème que je lui avouerai demain et pour lequel il me
détestera — mais à autre chose qu'à cette morte qui va me
le prendre avec elle, j'en suis sûre, un de ces jours...
Elle lui a pris le bras. 20

Cela, vous le voulez bien, n'est-ce pas? Je vous le demande
bien humblement, mademoiselle.
Elle la regarde, suppliante, elle ajoute vite.

Et puis, comme cela, vous le verrez, vous aussi. Et... je sens
que je rougis encore en vous disant cela — la vie est trop folle 25
vraiment! cela fera trois fois en soixante ans, dont deux fois
en dix minutes — vous le verrez et si jamais — pourquoi pas
lui, puisqu'il est beau, charmant et que d'autres l'ont été? —
si jamais il pouvait avoir le bonheur, pour lui, et pour moi,
d'être un instant — votre caprice...   30
Le timbre encore dans l'ombre, mais il est tout près maintenant.

AMANDA, *dans un souffle:* Qu'est-ce qu'il faut lui dire?

LA DUCHESSE, *lui serrant le bras:* Dites-lui simplement : « Pardon,
monsieur, pouvez-vous m'indiquer le chemin de la mer? »

Elle s'est jetée dans l'ombre plus profonde des arbres. Il était temps. Une blancheur, c'est le prince à bicyclette, il passe tout près de la blancheur qu'est Amanda contre son obélisque, elle murmure.

5   AMANDA: Pardon, monsieur...

Il s'arrête, descend de bicyclette, se découvre, la regarde.

LE PRINCE: Mademoiselle?

AMANDA: Pouvez-vous m'indiquer le chemin de la mer?

LE PRINCE: C'est le deuxième sur votre gauche, mademoiselle.
10   *Il salue, triste et courtois, remonte sur son vélocipède et s'éloigne. On entend le timbre plus loin. La duchesse sort de l'ombre toute vieillie.*

AMANDA, *doucement, après un temps:* Il ne m'a pas reconnue...

LA DUCHESSE: Il faisait noir... Et puis qui sait quel visage il lui
15   donne maintenant, dans son rêve?

Elle demande timidement:

Vous n'avez plus de train, mademoiselle. Vous ne voulez pas rester tout de même au château pour ce soir?

AMANDA, *d'une drôle de voix:* Si, madame.
20   *La nuit est tout à fait tombée. On ne les voit plus toutes deux dans l'ombre, on n'entend plus que le vent dans les arbres immenses du parc.*

LE RIDEAU TOMBE

TROISIÈME TABLEAU

Le boudoir de la duchesse. C'est le matin. Le maître
d'hôtel est en scène, immobile. Il a l'air d'attendre. Entre
un autre maître d'hôtel qui ressemble au premier comme un
frère. Ils se regardent sans aménité.

L'AUTRE MAÎTRE D'HÔTEL: Bonjour, monsieur.   5

LE MAÎTRE D'HÔTEL, *glacial:* Monsieur : bonjour.
    Un temps ils s'inspectent de la tête aux pieds. Le maître
    d'hôtel rectifie son nœud de cravate. Malgré lui l'autre
    maître d'hôtel fait le même geste.

LE MAÎTRE D'HÔTEL: Comment dois-je interpréter votre présence 10
    ici, monsieur?

L'AUTRE MAÎTRE D'HÔTEL: Mme la duchesse m'a convoqué ici pour
    neuf heures, monsieur, pour régler les affaires courantes du
    petit établissement fictif que je dirige au fond du parc.

LE MAÎTRE D'HÔTEL *a un pli d'amertume à la bouche mais n'en laisse* 15
    rien paraître: Dans ce cas, je pense que vous devez pouvoir vous
    asseoir, monsieur.

L'autre Maître d'hôtel, *s'asseyant raide:* Je vous remercie, monsieur:

Le Maître d'hôtel, *sortant après une dernière retouche au nègre de Venise qui montre bien qu'il est chez lui. A la porte, il se ravise et revient:* Un mot cependant, monsieur. Personnellement, j'ai toujours servi en maison bourgeoise et, je puis le dire sans me vanter, chez ce que le Faubourg a de plus représentatif. Mais l'un de mes beaux-frères, qui est un homme parfaitement honorable par ailleurs, a choisi — par goût du profit — la branche hôtelière. Il a été au Piccardy, au Waldorf, au Savoy.[1] Je ne sais pas si vous connaissez?

L'autre Maître d'hôtel: Je connais, monsieur.

Le Maître d'hôtel: Eh bien, monsieur, chez cette personne et chez ceux de ses confrères qui représentent pourtant ce que la branche hôtelière a de mieux, j'ai toujours noté un certain relâchement... une certaine — comment vous dire? — tendance à la familiarité, que donne immanquablement aux meilleurs (eussent-ils eu[2] la formation la plus classique) l'habitude de servir le client au lieu du maître.

L'autre Maître d'hôtel, *impénétrable:* Je ne vois pas où vous voulez en venir, monsieur.

Le Maître d'hôtel: A ceci, monsieur. Depuis que les circonstances m'ont fait vous rencontrer, je n'ai pas eu — à mon grand étonnement — l'occasion de noter en vous des signes de cette déformation. Vous serviez pourtant à Dinard — je me le suis laissé dire — dans un établissement éphémère, qui ne pouvait pas, par la force même des choses, être exactement de tout premier ordre...

L'autre Maître d'hôtel, *pâle:* Un établissement très honorablement coté, mais de tout — tout — premier ordre, non, monsieur.

[1]Piccardy, Waldorf and Savoy are the names of de luxe hotels.
[2]Translate: "even if they have had."

Le Maître d'hôtel: Dans ce cas, permettez-moi de vous poser une
    question. Je ne veux pas croire que vous me singiez, mon-
    sieur, et surtout, que vous puissiez, en le faisant, trom-
    per un œil aussi exercé que le mien. N'auriez-vous pas
    servi de longues années en maison bourgeoise avant de...   5

L'autre Maître d'hôtel *baisse la tête, un sanglot étouffé dans sa gorge:*
    Oui, monsieur... avant. Et puis un jour...

Le Maître d'hôtel, *l'arrête d'un geste:* C'est bien, monsieur. Loin
    de moi de vous demander le secret de votre faute. Je suis
    simplement heureux de constater que chez un vrai maître   10
    d'hôtel il reste toujours un fonds de manières que la déché-
    ance n'entame pas.

L'autre Maître d'hôtel, *reconnaissant:* Merci, monsieur.

Le Maître d'hôtel, *affable et supérieur:* De rien, mon ami. Et
    excusez-moi si j'ai remué le fer dans la plaie. Nous ne re- 15
    parlerons jamais de cela. Je vais prévenir Mme la duchesse
    de votre venue, monsieur.
        *Il sort. La duchesse entre, éclatante comme toujours, suivie
        d'Hector et d'Amanda dans une robe et des accessoires très
        Léocadia.*   20

La Duchesse: Mon ami.

Le Maître d'hôtel *s'est levé précipitamment:* Bonjour, madame la
    duchesse.

La Duchesse, *dans un cri:* Ne me dites même pas bonjour. Regardez
    cette jeune femme; regardez-la bien, regardez-la profondé- 25
    ment. Qu'est-ce que vous me dites maintenant?
        *Le maître d'hôtel regarde Amanda un peu ahuri d'abord
        et sans comprendre le sens de ce brouhaha, puis soudain il
        comprend.*

Le Maître d'hôtel: Oh!   30

La Duchesse *s'oublie jusqu'à lui serrer les mains dans son enthousiasme:*
    Merci, mon ami, merci pour ce « oh ».
                                                A Amanda.

Ce « Oh » est un succès, mon enfant, embrassez-moi!
> *Elle embrasse Amanda. Elle se retourne ensuite vers le maître d'hôtel.*

Maintenant, mon ami, vous pouvez me dire bonjour.

5 LE MAÎTRE D'HÔTEL: Bonjour, madame la duchesse.

LA DUCHESSE, *très naturelle, très distante:* Bonjour, mon ami.
> *Elle montre Amanda.*

Hein? N'est-ce pas troublant?

LE MAÎTRE D'HÔTEL: C'est hallucinant, madame la duchesse.

10 LA DUCHESSE *pousse un cri:* Hallucinant! Et moi qui cherchais vainement ce mot depuis hier soir. Hallucinant! C'est cela, c'est bien cela. Où l'avez-vous trouvé?

LE MAÎTRE D'HÔTEL *regarde ses mains, inquiet:* Quoi, madame la duchesse?

15 LA DUCHESSE: Ce mot?

LE MAÎTRE D'HÔTEL: Mais je ne sais pas, madame la duchesse. Je ne me le rappelle plus... Dans les journaux...

LA DUCHESSE: Ah! je ne lis jamais les journaux. C'est pour cela.[3] Mais tout de même, c'est le terme exact. Hallucinant.
20
> *Elle est ravie.*

Hallucinant. Vous êtes hallucinante, mon enfant.

AMANDA *fait semblant de frissonner:* Brr!... Cela ne doit pas être très joli le matin.

LA DUCHESSE *lui tapote la joue:* Ah! Dieu qu'elle est drôle! Mais
25 n'ayez crainte, vous êtes hallucinante pour nous, mais, en vérité, vous êtes un Greuze.[4] Un petit Greuze qui se promène.

HECTOR: Ou plutôt la fausse maigre de Boucher[5] dont parle le poète...

---

[3]Translate: "That's why (I didn't know the word)."
[4]French painter, 1725–1805.
[5]French painter, 1703–1770.

LA DUCHESSE: Tu! Tu! Tu!... Le poète se trompe, Hector, et vous
    aussi! Cette petite n'est pas un Boucher, c'est un Greuze.
    Ou, quand elle sourit ainsi et s'étonne, peut-être, je vous
    l'accorde, une fillette de Le Nain.[6]

                                                    A Amanda. 5

    On vous l'a déjà dit?

AMANDA, *simplement:* Non, madame. Je ne connais même pas ces
    noms.

LA DUCHESSE, *pour qui ce détail est d'un prix infini:* Elle est adorable,
    Hector.   10

HECTOR: Adorable.

LA DUCHESSE: Ce sont des peintres, mon enfant, de grands peintres.
    *Elle explique aussitôt, car tout ce qu'elle fait est excessif,
    comme à une imbécile.*

    Des peintres qui ont fait des tableaux... avec des pinceaux... 15

AMANDA *rit un peu:* Oui, je sais tout de même ce que c'est qu'un
    peintre.

LA DUCHESSE, *négligemment:* J'ai une ou deux douzaines de leurs
    chefs-d'œuvre au grand salon. Nous irons les voir tout à
    l'heure et nous comparerons. Cela sera très amusant! Mais 20
    pour le moment nous n'avons pas le temps de nous amuser.
    Nous avons à travailler.

                                        Elle va au maître d'hôtel.

    Mon ami, je vous ai convoqué ici pour que vous nous aidiez.
    Le prince est, bien entendu, au courant de tout, mais il n'a pas 25
    encore voulu recevoir mademoiselle. Quand il la verra, je
    veux que le cher enfant soit cloué au sol. Cloué. Et il le sera.
    Seulement — attention! — il ne faut pas nous attendre à un
    miracle; il va être tout de même beaucoup plus exigeant que
    nous.   30

AMANDA: Oh! ne m'effrayez pas d'avance, madame. J'ai déjà
    assez le trac comme cela.

    [6]Louis, French painter, 1593–1648, one of three famous artist brothers.

LA DUCHESSE: A quoi servirait de nous dissimuler, ma chère, les difficultés de notre tâche? Nous avons une ressemblance. Bon. C'est beaucoup. Mais cela ne peut pas être tout, surtout pour une femme comme Léocadia. Il nous faut une atmosphère.

Elle va sur Hector.

D'abord, où sont les orchidées?

HECTOR *se lève surpris. Il a peur d'être assis dessus:* Les orchidées?

LA DUCHESSE: Comment pouvons-nous avoir oublié que Léocadia ne se déplaçait jamais sans une gerbe d'orchidées? Je vais téléphoner à Dinard qu'on m'en apporte immédiatement un choix.

Elle sort, il la suit.
Amanda est restée seule avec le maître d'hôtel. Ils se regardent un instant, gênés. Puis elle lui dit avec un sourire :

AMANDA: Hallucinante...

Il hésite d'abord sur la contenance à prendre, puis il a un geste vague qui ne l'engage pas.

Nous faisons de drôles de métiers.

LE MAÎTRE D'HÔTEL *raide et prudent:* Il n'y a pas de sots métiers, mademoiselle.

AMANDA, *gentiment:* Oh! non.

Elle ajoute avec son petit bon sens populaire:

Et puis, il faut bien vivre, n'est-ce pas? Il y a longtemps que vous l'êtes, vous?

LE MAÎTRE D'HÔTEL: Quoi, mademoiselle?

AMANDA: Souvenir.

LE MAÎTRE D'HÔTEL: Près de deux ans, mademoiselle.

AMANDA: Ils vous paient bien?

LE MAÎTRE D'HÔTEL, *outré d'abord par cette question brutale, a un geste de maître d'hôtel qui refuse un pourboire:* Oh! mademoiselle...

Pourtant le regard clair d'Amanda le démonte, il avoue.

Beaucoup, oui, mademoiselle.

Et puis il a un remords d'avoir avoué quelque chose qu'on
ne doit jamais avouer; il a un geste.

Enfin, quand je dis beaucoup...

AMANDA *rit de sa gêne:* Et c'est fatigant?   5

LE MAÎTRE D'HÔTEL: Quoi, mademoiselle?

AMANDA: D'être souvenir...

Le maître d'hôtel a un geste.

Qu'est-ce que vous faites, toute la journée?

LE MAÎTRE D'HÔTEL: Rien. J'attends. J'attends qu'il vienne. Je 10
me promène entre les tables vides. Je pense.

Il ajoute, mis en confiance après un silence:

C'est drôle de penser, hein, mademoiselle... On ne le croirait
pas : cela rend triste.

AMANDA: Je ne l'ai vu qu'une minute seulement hier, et dans le 15
noir... Il est gentil?

LE MAÎTRE D'HÔTEL: Il n'est ni gentil ni pas gentil. Si on devait
dire quelque chose de lui, c'est qu'il n'a pas l'air d'être là.

AMANDA: Qu'est-ce qu'il fait quand il vient chez vous?

LE MAÎTRE D'HÔTEL: Il s'assoit à une table; toujours la même — 20
la table qu'ils avaient occupée tous les deux — et il commande ce qu'ils avaient commandé ce soir-là, un pommery
brut 1923.[7] Je le lui sers, avec deux verres... Alors il se
met à regarder la banquette sans rien dire. Parfois cinq
minutes, parfois toute la nuit... Et puis il s'en va.   25

AMANDA, *rêveuse:* Pauvre garçon.

LE MAÎTRE D'HÔTEL, *toujours sinistre:* Alors, nous, on boit le champagne.

[7]An extra-dry champagne of 1923 vintage.

AMANDA, *comme une petite fille qui n'en a pas bu beaucoup:* Vous en avez de la chance!

LE MAÎTRE D'HÔTEL, *désabusé:* Oh vous savez, mademoiselle, à la longue... Moi, cela me donne des aigreurs.

5 AMANDA, *qui a rêvé un moment en silence:* Ce qui est drôle, c'est qu'ils ne se soient vus que trois jours... Il me semble qu'il faut plus longtemps pour s'aimer. Pour s'aimer comme je veux dire.

Elle demande soudain au maître d'hôtel interloqué:

Ils ont fait l'amour, au moins?

10 LE MAÎTRE D'HÔTEL, *après un premier recul:* Ça! je ne peux pas dire, mademoiselle... En tout cas pas chez moi.

Il ajoute cependant:

Les gens de l'auberge de Sainte-Anne-du-Pouldu, qu'on a également reconstruite à côté de nous, le prétendent... Mais j'ai
15 tout lieu de croire que c'est pour se donner de l'importance.

AMANDA, *très gentiment:* Et puis, même s'ils l'avaient fait... C'est si peu, une fois.

Le maître d'hôtel a un vague geste d'incompétence.

AMANDA *demande encore:* Vous le croyez, vous, qu'il a un vrai chagrin?
20 *Le maître d'hôtel a un geste qui ne le compromet pas.*

AMANDA *rêve encore et continue:* Le chagrin, cela existe, bien sûr. Mais je suis peut-être une drôle de fille, il me semble que c'est ou plus fort ou moins fort. Pas comme cela.

LE MAÎTRE D'HÔTEL, *infiniment distingué et sceptique:* Peut-on savoir
25 ce que c'est que le chagrin! Moi qui vous parle, au Sporting[8] de Monte-Carlo, avant la guerre, j'ai vu le grand-duc Sosthène, dans un accès de neurasthénie, faire verser trois cents bouteilles de Veuve Cliquot,[9] carte spéciale, dans un petit salon, et forcer tout le personnel à s'y baigner les pieds... Et il pleurait
30 à chaudes larmes, il se donnait de grands coups dans la poitrine et il nous demandait pardon!

---

[8]An exclusive beach club.
[9]A well-known brand of French champagne.

AMANDA, *gentiment:* Cela non plus, je ne crois pas que c'était du chagrin.

LA DUCHESSE *est entrée, toujours suivie d'Hector:* Voilà! j'aurai deux cents orchidées dans dix minutes.

AMANDA *sourit:* Cela me paraît beaucoup.   5

LA DUCHESSE *se détourne, surprise:* Comment beaucoup?

AMANDA: Je ne connais pas les peintres, mais je connais un peu les fleurs, madame; avant d'être modiste, j'ai été fleuriste...

LA DUCHESSE: Beaucoup? Mais nous n'en aurons peut-être même pas assez. Léocadia en mâchonnait toute la journée. 10 Vous croyez qu'il faut longtemps, à quelqu'un de nerveux, pour mâchonner une orchidée?

AMANDA, *gentiment:* Je ne sais pas. Pour mâchonner, je vendais plutôt la pâquerette.

LA DUCHESSE *ne l'écoute même plus:* Organisons-nous en attendant ces 15 fleurs. Le mieux est d'avoir un exemple concret. Nous allons tâcher de reconstituer pour cette enfant l'arrivée de Léocadia au « Beau Danube ».

                                  Elle empoigne un fauteuil.

Voyons, plantons d'abord notre décor. Asseyez-vous là en 20 attendant.

                                        A   Hector.

Elle est ravissante et déjà tellement dans la note!

                              Elle vient lui dire sous le nez:

Ravissante.   25

AMANDA: J'essaie de prendre l'air distingué.

LA DUCHESSE, *s'en allant:* Non! Non! Non! Ne prenez aucun air. Nous vous indiquerons tout cela.

                                     Au maître d'hôtel:

Je n'ai pas voulu répéter chez vous, car Albert est dans le parc,
il aurait pu nous surprendre.   Tandis qu'il ne vient que très
rarement ici le matin.   D'ailleurs, Théophile fait le guet.

Elle va à Amanda.

Vous voyez, mon enfant, plus j'y songe, plus je m'aperçois que
le secret de Léocadia était dans son œil.   Elle avait une façon
de vous regarder — comme cela — qui avait un charme incomparable.   Entre nous elle était tout bonnement myope.
Pendant que nous déménageons les meubles, exercez-vous
donc à cligner de l'œil; ce sera votre première leçon...

Elle revient au maître d'hôtel.

Maître d'hôtel, vous, aidez-moi à déplacer le nègre.   Léocadia
prétendait que ce nègre, c'était l'esprit moqueur et léger du
matin.

*Elle ne peut s'empêcher de soupirer en le déplaçant avec le
maître d'hôtel.*

Dieu, qu'il est lourd, l'animal!

En passant près d'Amanda, elle lui jette:

Clignez de l'œil, clignez de l'œil et penchez la tête.   Le dernier, c'était presque bien.   Vous faites d'immenses progrès!

*La porte s'est entrouverte sans bruit.   Le maître d'hôtel
de la duchesse, profondément écœuré, voit son rival bouleverser, aidé de sa maîtresse, l'ordonnance sacro-sainte du
salon, tandis que cette jeune femme dans un coin penche la
tête et cligne de l'œil, sans l'ombre d'une raison.   Il a un
frisson de dégoût et disparaît.*

LA DUCHESSE, *qui déplace les meubles:* Ici, c'est l'estrade des musiciens.
Là, c'est la table où ils se sont assis.   C'est bien ainsi?

LE MAÎTRE D'HÔTEL: Approximativement oui, madame la
duchesse...

LA DUCHESSE: Un bon point.   Mais, pour moi, cette fois.

A Amanda:

Ne clignez plus, maintenant, mon enfant, vous devez avoir la
crampe et, tout à l'heure, quand cela sera pour de bon, vous
le ferez sans naturel...

Au maître d'hôtel:

Maintenant, mon ami, je vais vous dire ce que j'attends de   5
vous. Moi, je connais trop bien Léocadia... Il nous serait précieux que ce soit vous, un étranger, qui disiez d'abord à cette
petite l'impression, l'impression profonde que vous a faite
« la Divine » en pénétrant pour la première fois au « Beau
Danube ».   10

LE MAÎTRE D'HÔTEL, *ravi de ce rôle important:* Mon impression?

LA DUCHESSE: Votre impression profonde. Ne vous troublez pas.
Prenez votre temps, nous vous écoutons. Nous sommes
ici entre camarades, pour savoir la vérité, toute la vérité,
rien que la vérité.   15

LE MAÎTRE D'HÔTEL, *entraîné, étend la main et crie, malgré lui:* Je le jure!

LA DUCHESSE: Comment?

LE MAÎTRE D'HÔTEL, *qui ne doit pas avoir la conscience très nette, a
rougi:* Oh! non. Rien. Pardon.

LA DUCHESSE: Nous vous écoutons.   20

A Amanda:

Ne clignez plus, mon enfant, je vous l'assure, ne clignez plus.

AMANDA, *qui cligne parce qu'elle commence à ne plus pouvoir maîtriser son
envie de rire:* Mais, c'est malgré moi, maintenant, madame.

LA DUCHESSE, *ravie:* Alors, c'est excellent. C'est que vous devenez   25
vraiment elle! Clignez, au contraire, clignez.

Au maître d'hôtel:

Nous vous écoutons.

LE MAÎTRE D'HÔTEL, *qui a eu le temps de se remettre:* Eh bien, voilà.
Pour être franc, madame la duchesse, quand mademoiselle   30
Léocadia Gardi est entrée pour la première fois dans la salle
du « Beau Danube », je crois me faire l'interprète fidèle de
tous mes camarades en disant que nous avons reçu un choc.

La Duchesse: Un choc! C'est très intéressant. Un choc.

A Amanda:

Notez, mon enfant. Vous avez un crayon?

Amanda, *qui commence à ne plus rien faire pour retenir la douce hilarité*
5   *qui la gagne:* Non, non, mais je me rappellerai sûrement!

Elle dit comme le maître d'hôtel:

Un choc.

La Duchesse *répète, ravie:* Un choc.

Le Maître d'hôtel: Un choc. D'abord, Mlle Léocadia était
10   belle, extrêmement belle... Et puis elle avait dans sa démarche, dans sa façon de vous regarder dans les yeux en
avançant droit sur vous pour cesser de vous voir à l'instant
même où l'on croyait qu'elle allait vous adresser la parole
— une distinction, une arrogance et — dois-je dire le mot
15   qui traduit le mieux ma pensée, madame la duchesse?

La Duchesse: Je vous y invite, mon ami.

Le Maître d'hôtel: Du chien! Un chien fou.

La Duchesse, *enthousiasmée:* Un chien fou!

A Amanda:

20   Notez tout cela. C'est d'une justesse surprenante. Il a de la
valeur, ce garçon, et un rare don d'observation. C'est vrai,
Léocadia était déjà tout entière dans sa démarche, si particulière, si « fin de siècle »...[10]

Elle l'imite.

25   Les yeux dans les yeux jusqu'à vous toucher et tout d'un coup
l'air absent, elle vous a frôlé sans vous voir. C'est tout elle!
Seulement, moi, ce n'est pas du tout cela! Je suis trop petite
et je sautille. Mon ami, vous ne savez pas ce que vous devriez faire pour fixer une bonne fois cette enfant? Vous
30   devriez essayer de nous donner cela.

[10]An adjective phrase applying to art, music, style, etc. of the end of the nineteenth century.

Le Maître d'hôtel : Quoi, madame la duchesse?

La Duchesse : L'entrée de Léocadia au « Beau Danube ».

Le Maître d'hôtel, *qui en grille d'envie:* Je ne sais pas si je peux me
    permettre, madame la duchesse...

La Duchesse : Voyons, mon ami, puisque je vous le demande!   5

Le Maître d'hôtel : Alors soit. Mais que madame la duchesse
    veuille bien noter qu'il n'y aura aucune intention irrespectu-
    euse ou parodique dans ce que je vais indiquer. Je suis un
    homme « fait », n'est-ce pas, malgré tout—plus un éphèbe[11]
    — et il m'est nécessairement difficile de...   10

La Duchesse : Boh! Qu'allez-vous chercher, mon cher! Nous som-
    mes là pour donner le ton à cette petite, voilà tout.

Le Maître d'hôtel : Eh bien, quand Mlle Léocadia Gardi est
    entrée, l'orchestre venait justement, à la demande d'un habi-
    tué, d'attaquer un morceau de genre, très apprécié cette   15
    année-là : « La Valse des Chemins de l'Amour ».

La Duchesse : J'ai une idée! Hector fera l'orchestre. Mettez-vous
    là, mon cher, sur l'estrade. Vous connaissez « La Valse des
    Chemins de l'Amour ». Il y a deux ans vous ne cessiez de
    nous en rebattre les oreilles. Fredonnez-la donc. Cela aidera 20
    beaucoup ce garçon.

Hector, *ravi de jouer un rôle:* Dois-je également imiter un violoniste
    avec mes bras?

La Duchesse, *que ce détail n'intéresse pas, s'en va laissant Hector:* Comme
    vous voudrez.   25
        *Tout en fredonnant Hector passera le reste de la scène à
        se demander s'il imite ou non les gestes d'un violoniste avec
        sec bras.*

Le Maître d'hôtel : Si madame la duchesse le permet, c'est sur
    elle que je marcherai.   30

[11]A Greek youth just entering into manhood.

LA DUCHESSE: Excellente idée.

LE MAÎTRE D'HÔTEL: Allons-y! Orchestre!
> *Hector attaque « La Valse des Chemins de l'Amour ».*
> *Le maître d'hôtel commence à mimer gravement l'entrée de*
> *Léocadia au « Beau Danube ». A cet instant le maître*
> *d'hôtel de la duchesse ouvre la porte précipitamment comme s'il*
> *avait quelque chose d'urgent à dire.*

LE MAÎTRE D'HÔTEL DE LA DUCHESSE: Madame la duchesse!
> *Il s'arrête, cloué sur place. Son rival vient de passer devant*
> *lui sans le voir, il marche en tanguant, les yeux dans les*
> *yeux, vers la duchesse qui s'exclame:*

LA DUCHESSE: C'est cela! C'est cela! C'est tout à fait cela!... Cet homme est un mime! C'est un mime-né! Reprenons pendant que c'est chaud! Vite, refaites le mouvement derrière lui, ma petite fille.
> *Hector reprend la valse, le maître d'hôtel, l'entrée de Léocadia*
> *au « Beau Danube », et Amanda, qui se tord de rire, marche*
> *en l'imitant derrière lui. Le maître d'hôtel, son mouvement*
> *terminé, la regarde venir à lui en criant, extasié.*

LE MAÎTRE D'HÔTEL: Bravo, mademoiselle! Ne bougez plus! Et maintenant droit sur moi, l'œil dans l'œil et tout d'un coup l'insolence — toute l'insolence! Je ne suis qu'un maître d'hôtel! Je ne suis rien! Je ne suis que de la boue! Vous ne me voyez même plus!
> *Mais Amanda s'est arrêtée soudain, rouge de confusion.*
> *Le prince a écarté le maître d'hôtel de la duchesse qui était*
> *resté pétrifié depuis son entrée sans articuler un mot. Il est*
> *sur le seuil, pâle de rage. Hector s'arrête, la duchesse et le*
> *maître d'hôtel se retournent, épouvantés.*

LE PRINCE: Qu'est-ce que c'est que cette mascarade?

LA DUCHESSE *pousse un cri:* Albert ici! Théophile, qu'avez-vous fait?

LE MAÎTRE D'HÔTEL DE LA DUCHESSE *baisse la tête, vieilli de dix ans:* J'étais entré afin d'avertir madame la duchesse — et puis ce que j'ai vu m'a tellement bouleversé, madame la duchesse.

La Duchesse *a un geste terrible:* Sortez, Théophile. Je vous chasse!
>   *Le maître d'hôtel de la duchesse sort, vieilli de cent ans,*
>   *cette fois.*

Le Prince, *sec, aux autres:* Laissez-nous aussi, s'il vous plaît. Je vous
demande pardon, ma tante, mais je veux parler seul à cette 5
jeune fille.
>   *Hector et l'autre maître d'hôtel effectuent une rapide retraite.*
>   *La duchesse se dispose également à sortir. Pour la première*
>   *fois le prince regarde Amanda qui ne sait plus où se mettre.*
>   *Soudain il voit le nègre de Venise. Il bondit.* 10

Le Prince: Qui a touché à cette statue?

La Duchesse, *de la porte:* C'est moi, Albert, j'ai voulu faire de la place
pour...

Le Prince *va rageusement la remettre en place:* J'ai dit que personne ne
devait, sous aucun prétexte, toucher ce qu'elle avait touché! 15
>   *La duchesse, qui n'a pas trop peur quand même, sort en*
>   *faisant derrière le dos d'Albert des signes complices à Amanda.*

Le Prince *regarde encore Amanda en silence et finit par lui dire:* Je crains
que ma tante ne vous ait mise dans une bien mauvaise situation, mademoiselle. 20

Amanda, *toute simple:* Je le crains aussi, monsieur.

Le Prince, *sans indulgence:* Vous aviez absolument besoin de trouver
du travail sans doute...

Amanda: Non, monsieur. C'est-à-dire si. Madame votre tante
ayant pris soin, avant même de me convoquer ici, d'user de 25
son influence pour me faire congédier de la maison de modes
qui m'employait.

Le Prince, *que ce détail amuse:* C'est une femme étonnante!

Amanda, *un peu amère:* Etonnante, oui.

>   *Elle ajoute:* 30

Mais depuis hier j'ai commencé à prendre l'habitude de ne
plus m'étonner de rien.

Le Prince: Vous êtes là depuis hier?

Amanda: Oui. Vous m'avez même parlé, hier soir, dans le parc, près d'un obélisque entouré d'un banc de pierre...

Le Prince, *sincèrement surpris:* C'était vous? Je vous demande pardon,
5   il faisait déjà si sombre... Pourquoi m'avez-vous demandé le chemin de la mer?

Amanda, *doucement:* Il paraît que c'était une phrase qu'il fallait vous redire.

Le Prince *s'est arrêté comme frappé de stupeur, il murmure:* Pardon,
10   monsieur... Pouvez-vous m'indiquer le chemin de la mer?
         Il est allé s'asseoir sur un fauteuil, il ne dit plus rien, il
         rêve. Le silence se prolonge. Amanda toussote, fait du
         bruit; rien n'y fait. Alors elle va sortir sur la pointe des
         pieds. Le prince crie soudain:

15 Le Prince: Ne sortez pas! Venez ici, devant moi! Vous êtes laide. Vous avez une voix de Parisienne. Vous ne lui ressemblez pas. Vous ne pourrez jamais lui ressembler. Personne ne peut lui ressembler. Vous êtes une petite midinette sans race, sans mystère, sans aura.[12]

20 Amanda, *calme:* Qu'est-ce que c'est?

Le Prince *s'est arrêté, surpris:* Quoi?

Amanda: Une « aura »?

Le Prince *explose:* Vous ne vous figurez pas que je vais vous donner des leçons de français, par-dessus le marché?

25 Amanda, *qui le regarde bien en face, digne:* Je veux seulement savoir si c'est une insulte.

Le Prince *la regarde, puis il a malgré lui un petit sourire. Il dit plus doucement:* Non, ce n'est pas une insulte.

Amanda: Ah! bon.
30   *Un temps elle le toise et se dirige vers la porte aussi digne*
         qu'elle le peut.

[12]Translate: distinction.

LE PRINCE *ne peut s'empêcher de lui demander:* Qu'est-ce que vous auriez
fait si ç'avait été une insulte?

AMANDA *s'est retournée:* Je vous aurais dit ce que je pense de vous.

LE PRINCE, *doucement, soudainement las:* Cela m'est égal de savoir ce
qu'on pense de moi.   5

> *Il s'est recroquevillé dans son grand fauteuil ancien et il
> ne dit plus rien. Amanda le regarde de la porte avec une
> nuance de pitié dans les yeux. Tout d'un coup, au milieu de
> sa songerie, il murmure les yeux fermés:*

LE PRINCE: Pouvez-vous m'indiquer...   10

> *Il s'arrête, il reprend sur un autre ton comme quelqu'un qui
> cherche.*

Pouvez-vous m'indiquer le chemin...

> *Il cherche un autre ton encore, mais sa voix est malhabile.*

Le chemin...   15

> *Il s'est arrêté, épuisé. Soudain ses traits se détendent.
> Amanda, qui a les larmes aux yeux de voir qu'il a vraiment
> mal, a murmuré derrière lui comme au tableau précédent:*

AMANDA: Pouvez-vous m'indiquer le chemin de la mer?

> *Un silence, il demande doucement, humblement presque:*   20

LE PRINCE: Qui vous a appris à imiter ainsi cette voix?

AMANDA: Personne. C'est la mienne.

LE PRINCE, *après un temps:* Dites encore une fois cette phrase, s'il vous
plaît.

AMANDA: Pardon, monsieur. Pouvez-vous m'indiquer le chemin   25
de la mer?

LE PRINCE, *doucement aussi, les yeux fermés:* C'est le deuxième sur
votre gauche, mademoiselle.

AMANDA: Merci, monsieur.

LE PRINCE, *les yeux toujours fermés, appelle soudain:* Mademoiselle...   30

AMANDA, *surprise:* Monsieur?

LE PRINCE: Vous avez laissé tomber votre gant.

> *Amanda regarde d'abord à ses pieds, surprise, puis elle comprend qu'il rêve à sa rencontre d'il y a deux ans. Elle balbutie au hasard un peu effrayée:*

5 AMANDA: Merci, monsieur, je vous remercie beaucoup.

LE PRINCE *ouvre les yeux:* Non. Elle ne m'a pas répondu. Elle a seulement eu un petit sourire et puis elle s'est enfoncée dans le soir.

> *Il s'est levé, il ne la regarde pas; soudain, il essuie quelque*
10 > *chose sur sa joue.*

Je vous demande pardon.

AMANDA: C'est moi qui vous demande pardon, monsieur, d'être là.

> *Un silence. Amanda le regarde. Puis finit par lui dire gravement:*

15 Ce que je ne comprends pas, c'est qu'hier soir je vous ai dit la même chose avec la même voix et que vous m'avez répondu tout tranquillement, comme si j'étais n'importe qui—comme si on avait l'habitude de vous demander souvent, à la nuit tombante, quel est le chemin de la mer?

20 LE PRINCE, *d'un drôle de ton:* C'est drôle, n'est-ce pas, mademoiselle?

AMANDA: Oui, c'est drôle.

LE PRINCE, *un peu serré, toujours sans regarder:* Mademoiselle. Est-ce que, malgré ce que je vous ai dit — malgré ce que vous devez penser comme moi de son côté extravagant — vous consi-
25 dérerez comme possible d'accepter la proposition de ma tante, pour quelque temps — mettons pour trois jours...

AMANDA *baisse la tête. Elle voudrait bien user de sa puissance, de sa colère aussi, elle essaie d'être digne:* Je ne voulais pas hier soir — et ce matin j'ai dit « oui » — et puis, tout à l'heure, je sortais
30 pour dire « non »...

LE PRINCE *s'est retourné vers elle, gentiment, pour la première fois:* Redites « oui », s'il vous plaît. Cela fera juste le compte.

AMANDA: Oui, mais, moi, j'ai l'air d'une idiote qui ne sait pas ce qu'elle veut.

LE PRINCE: De quoi ai-je l'air, moi?

AMANDA: Oh! mais vous!... C'est sans importance. Vous en avez fait bien d'autres... Ma vie à moi n'est pas organisée de telle   5
façon que je puisse me permettre d'être toquée.

LE PRINCE: Qu'est-ce qui vous arriverait si vous étiez « toquée » comme vous dites?

AMANDA: Mais les pires drames! Je ferais tout le temps sauter les mailles de mes bas; j'userais trop vite mes gants; je raterais   10
mes métros; je me ferais renvoyer de ma place...
                           Elle s'arrête, soupire, comique malgré elle.

Tout cela m'est arrivé d'ailleurs depuis hier.

LE PRINCE, *sur la défensive:* On vous a raconté mon histoire sans doute... Et je conçois que dans une existence comme la   15
vôtre — où le travail de chaque jour et les petites considérations matérielles de la vie tiennent une si grande place — il doit être un peu agaçant de penser que quelqu'un a dépensé tant d'argent, tant de peines et maintenant consacre tant de temps — au simple culte d'un souvenir.   20

AMANDA, *toute simple*, *doucement:* Oh! non, vous vous trompez... Lorsque l'employé de la mairie est venu nous porter cette grande lettre qui disait que papa ne reviendrait pas de la guerre, maman, qui était femme de ménage, s'est mise à coucher dans un lit-cage dans la cuisine. Et elle a organisé   25
une exposition, dans leur ancienne chambre, de tout ce qui avait appartenu à mon père. Elle a étendu sa jaquette de mariage à côté de sa robe blanche, sur leur lit; et à chaque anniversaire de sa mort elle dépensait — comparativement — en chrysanthèmes, beaucoup plus que vous n'avez jamais   30
pu dépenser pour reconstruire toute une ville dans votre parc.

LE PRINCE, *après un temps:* A mon tour je vous demande pardon.

AMANDA, *très bien:* Il ne faut pas. Mais il ne faut pas non plus croire...

LE PRINCE, *grave:* Je ne crois plus, mademoiselle. Et je suis même
     bien heureux de ce que vous venez de me confier, si genti-
     ment. Car cela va me permettre de vous faire, à mon tour,
     une autre confidence — une confidence terrible, que je n'ai
5   jamais faite à personne. Ma tante est peut-être une folle,
     mademoiselle — une folle charmante — mais une folle; moi,
     j'ai beaucoup plus de bon sens qu'elle, croyez-le. Pourtant,
     si j'ai pu accepter de me prêter à sa folie et de permettre
     que tous les endroits où j'ai vécu avec Mlle Léocadia Gardi
10   fussent reconstruits ainsi dans la solitude de ce parc — c'est
     dans l'espoir que cette solitude précisément m'aiderait un
     peu dans mon épuisante lutte.

AMANDA, *qui ne comprend pas:* Votre lutte?

LE PRINCE *a un rictus:* Oui. C'est extraordinairement bête à dire.
15   Et, maintenant que je suis sur le bord de cet aveu, je m'aperçois
     qu'il est presque comique. Tâchez de ne pas sourire ce-
     pendant... Je fais tout cela, tout simplement parce que je
     suis en train d'oublier, mademoiselle.

AMANDA: Qui oubliez-vous?

20 LE PRINCE: La femme que j'ai aimée. Je ne suis même plus sûr de
     la couleur exacte de ses yeux. J'avais entièrement perdu sa voix
     jusqu'à tout à l'heure. Je ne sais dans quel univers j'étais
     hier soir...

                                             Il se tape le front avec rage.

25   Car mon esprit se sauve, se sauve tout le temps je ne sais où,
     vous entendez? — mais songez que vous avez pu à la même
     place, dans la même pénombre, avec la même voix, me deman-
     der le chemin de la mer sans que je sursaute... sans que je
     crie... sans que je... Ah! c'est trop bête! Et les voyous du pays
30   n'ont-ils pas raison de rigoler sur mon passage? Le prince
     Albert Troubiscoï a reconstruit toute une ville dans son parc
     pour se souvenir de son amour, seulement il ne se rappelle
     plus la première phrase qu'il lui a dite.

                                   Un temps, il est tombé assis, abattu.

35 AMANDA: Qu'est-ce que je peux faire pour vous, monsieur?

Le Prince *sourdement après un temps:* Rester trois jours ici et me laisser
   regarder votre image aux anciennes places où je recherche
   la sienne, vainement. Essayer — je vous demande pardon
   — de ne plus être vous, mais elle — pendant trois jours.

Amanda, *qui est debout au fond, une main appuyée sur le nègre de Venise:* 5
   Je vous le promets, monsieur.

Le Prince *crie soudain:* Oh! restez ainsi! Je vous en supplie... Le
   lendemain elle est venue au château après le déjeuner demander à ma tante si elle voulait lui prêter son parc pour une
   fête de charité qu'elle comptait organiser. Ma tante était 10
   sortie. C'est moi qui l'ai reçue... Je l'ai trouvée ainsi à
   cette place. Elle m'a dit qu'elle aimait beaucoup cette
   statue. Nous avons passé tout l'après-midi ensemble à
   bavarder et, le soir même, elle me permettait de l'accompa-
   gner pour la première fois au « Beau Danube ». C'est cette 15
   boîte de nuit de Dinard où nous devions découvrir le lendemain que nous nous aimions.

                                        Il a les yeux fermés.

   Le « Beau Danube ». C'était l'endroit le plus prétentieux et le
   plus ridicule du monde. Et ce maître d'hôtel incroyable et 20
   cette musique... Cette musique faussement viennoise que tout
   le monde rabâchait cette année-là, et qu'elle chantonnait
   nerveusement toute la soirée...

              Il chantonne maladroitement le début de la valse.

   Tra la la la... Qu'est-ce que c'était donc que cette valse?   25

                                              Il cherche.

   Tra la la la...

Amanda *l'aide:* Tra la la la...

Le Prince *continue:* Tra la la la lère...

Amanda *achève. Ils chantent ensemble maintenant:* Tra la la la...   30

           L'orchestre a repris sur la voix d'Amanda l'air de la valse.
           La lumière baisse et revient sur le quatrième tableau.

LE RIDEAU TOMBE

QUATRIÈME TABLEAU

La clairière dans le parc où l'on a reconstruit dos à dos
avec leurs enseignes la petite auberge de Sainte-Anne-du-
Pouldu pour le moment fermée, car c'est la nuit, et le décor
ouvert du « Beau Danube » brillamment illuminé avec ses
lustres rococo[1] et son style d'un charme vieillot. Trois
tziganes qui ont un peu le genre des professeurs de patin du
Palais de Glace — vieux papillons nocturnes, conservés
dans on ne sait quel phénol — comme le maître d'hôtel et la
dame du vestiaire qui, avec ses nœuds et ses fanfreluches, a
l'air d'une ouvreuse du Théâtre Français. Amanda et le
prince viennent d'arriver, la dame du vestiaire débarrasse
Amanda, ravie et étonnée, de ses fourrures. Le maître d'hôtel
attend la commande.

LE MAÎTRE D'HÔTEL, *comme s'il ne le savait pas:* Que servirai-je à
monsieur?

LE PRINCE: La même chose qu'hier soir.

---

[1]A florid style of ornamentation characterized by curved lines and decoration
of pierced shellwork, popular in Europe in the eighteenth century.

LE MAÎTRE D'HÔTEL: Bien, monsieur.

Il note:

Un pommery brut 1923.

AMANDA, *étourdiment:* Oh!... avant... j'aurais bien voulu... j'ai si soif et
puis... j'adore cela... une anisette à l'eau.   5
    Il y a un moment de grand désarroi, la musique s'est arrêtée.

LE MAÎTRE D'HÔTEL: Mais c'est que... Mlle Gardi n'avait pas...
Je vous demande pardon...

AMANDA, *soudain confuse:* Oh! non, c'est moi qui m'excuse. Je ne
sais plus où j'ai la tête ce soir. Du champagne... le même   10
qu'hier, bien sûr... enfin le champagne qu'il faut.
                                    La musique reprend, soulagée.

LE PRINCE, *un peu raide, après un petit temps:* Si vous avez soif... et si
vous aimez tant que cela l'anisette... Donnez une Marie-
Brizard[2] à mademoiselle.   15

LE MAÎTRE D'HÔTEL, *affolé:* Une Marie-Brizard... Je vais voir si...
enfin, je m'arrangerai...

AMANDA *lui crie:* Avec de l'eau, s'il vous plaît!

LE MAÎTRE D'HÔTEL, *s'en allant de plus en plus affolé:* De l'eau...
On n'a jamais prévu... Enfin, on va faire fondre de la glace.   20

AMANDA: Merci, vous êtes gentil. Je la boirai très vite.

LE MAÎTRE D'HÔTEL *se rassure en partant:* C'est cela, et puis j'enlèverai
le verre, on n'en parlera plus.

AMANDA, *s'excusant avec un sourire:* C'est difficile, vous savez, de ne
plus avoir d'envies à soi pendant deux jours.   25

LE PRINCE, *un peu sec:* Après-demain vous serez libre. Un peu de
patience.

AMANDA: Il ne me faut pas de patience, vous le savez bien. C'est
passionnant d'être une autre femme tout d'un coup.
                                    Elle caresse ses bracelets. 30

----

[2]Manufacturer and brand name of French liqueurs.

Une femme qui est riche... une femme qu'on aime...

Pendant ce temps, on a préparé l'anisette avec des courses,
des conciliabules, des rencontres de gens qui courent sans se
voir, des va-et-vient... La dame du vestiaire et un des
tziganes qui a abandonné son violon s'en sont mêlés et c'est
presque un petit ballet furtif et trottinant qui est souligné
ironiquement par la musique sur un thème qui déforme la
« valse » sans qu'on cesse de la reconnaître. Enfin, le
maître d'hôtel apporte l'anisette à l'eau.

LE PRINCE: Hier, n'est-ce pas, ce n'était pas mal...

LE MAÎTRE D'HÔTEL: Voici l'anisette.

Il ajoute, rancunier, car c'est ça qui lui a donné le plus de mal.

Avec de l'eau.

AMANDA, *qui a vraiment soif:* Ah! Merci!

Elle boit une gorgée puis soudain elle contemple son verre.

Comme c'est joli quand l'anisette n'est pas encore tout à fait
mélangée à l'eau!

On sent qu'elle voudrait être heureuse un peu, pour elle, au
milieu de ces parfums, de ces musiques, de ces lumières, de
ces bijoux inaccoutumés. Mais soudain elle s'aperçoit que le
maître d'hôtel et le prince la regardent froidement et attendent.
Elle avale son verre d'un trait, fait la grimace parce que
c'est trop fort et qu'elle a failli s'étrangler. Elle rend son
verre au maître d'hôtel.

AMANDA: Pardon.

LE MAÎTRE D'HÔTEL *le reprend et ne peut s'empêcher de dire, avec un*
soupir de satisfaction: Voilà.

LE PRINCE *a repris son monocle, satisfait, lui aussi, que ce soit fini:* Voilà.

AMANDA, *drôlement:* Voilà.

Et tandis que l'orchestre, qui avait un instant suspendu
son souffle, reprend de plus belle la « valse », le maître
d'hôtel, qui avait préparé son seau à champagne, l'apporte
aussitôt, et, avec d'autres gestes cérémonieux, car cette fois
c'est sérieux, il parvient à le servir dans une atmosphère
rassérénée...

LE PRINCE: Hier, n'est-ce pas, ce n'était pas mal, pour une première
fois... malgré certaines maladresses et — comment vous dire
sans vous blesser, mademoiselle? — un petit côté... populaire
— qui d'ailleurs n'est pas sans charme chez vous — mais qui,
naturellement, détonnait.   5

AMANDA: Je n'ai pourtant pas dit un seul mot d'argot.

LE PRINCE, *négligemment, devant Amanda atterrée:* Oui. C'est justement.
Léocadia ne parlait que l'argot. Mais il nous serait vraiment
trop difficile de reconstituer aussi son langage... Et puis, en
somme, nous nous étions dit si peu de choses, de nous, ce   10
premier soir. L'essentiel pour moi était de vous voir assise sur
cette banquette, mâchonnant ces fleurs.

AMANDA *s'excuse gentiment:* Le coup des fleurs, je n'ai pas dû très
bien le réussir... J'étais un peu écœurée, n'est-ce pas, à la
longue.   15

LE PRINCE: Ecœurée?

AMANDA: Oui. Autant un honnête brin d'herbe, c'est bon à sucer,
dans les bois, autant cette grosse fleur sucrée et âpre en même
temps, dans la bouche, toute la nuit...

LE PRINCE *rêve:* Elle disait que cela lui rappelait le pavot, la mandra- 20
gore, le goût des breuvages maléfiques de l'Inde...

AMANDA, *qui essaie de faire rire le maître d'hôtel qui la surveille, glacial:*
Je les connais peu. Je m'en suis tenue au mal d'estomac.
Pardon. Mais cet après-midi a été meilleur, n'est-ce pas?

LE PRINCE: Bien meilleur. Vous avez pu remarquer que je n'étais 25
pas prodigue de compliments, mademoiselle...

AMANDA: C'est vrai.

LE PRINCE: Eh bien, sur ce bateau — pendant ce long après-midi de
farniente où nous avons paresseusement remonté la Rance[3]
jusqu'à Dinan[4] — je tiens à vous dire que vous avez évoqué 30
d'une façon presque parfaite le fantôme de la « Divine ».

---

[3]A river in northwestern France which flows into the English Channel.
[4]A town in the department of Côtes-du-Nord.

AMANDA, *contente, avec un coup d'œil de triomphe au maître d'hôtel:* Merci, monsieur.

LE PRINCE *ajoute pour lui, après un temps, sans méchanceté:* Il est vrai que cet après-midi-là, elle avait joué, je l'ai senti, pour me surprendre, à laisser volontairement sa magnifique intelligence en veilleuse.

AMANDA, *avec sa petite voix:* Merci quand même.
    Elle n'a même pas osé regarder le maître d'hôtel qui est sorti goguenard.

LE PRINCE, *qui ne s'est aperçu de rien, continue:* Vous avez été parfaite. Un peu vivante peut-être. Un peu en chair et en os.

AMANDA: C'est une habitude dont les vivantes se défont très difficilement. Je tâcherai de faire mieux ce soir. Déjà je sens que je pèse si peu sur ma banquette... D'ailleurs avec les repas que nous faisons!

LE PRINCE: Léocadia mettait toujours son gant dans son assiette.

AMANDA: Oui, je sais. Alors... j'ai beau changer souvent de gants...
    Elle ajoute gentiment, avec sa bonne voix:

Je finirai par en manger un, vous savez, un jour!

LE PRINCE *rêve en la regardant:* Léocadia, chère immatérielle... Oh! je vous en supplie, mademoiselle, par respect pour cette image si troublante pour moi, que vous êtes sans le vouloir, ne me dites pas, comme vous en avez envie, je le sens, comme c'est votre droit, aussi, que vous vous faites monter d'énormes repas dans votre chambre, le soir, après m'avoir quitté.

AMANDA *baisse la tête:* Je suis une vivante, monsieur, mais une vivante honnête. Je tâche, même si c'est dur, même lorsque vous ne me voyez pas, d'être cette jeune femme que vous m'avez demandé d'incarner pour trois jours. Je vous jure que je ne me nourris que d'orchidées, de champagne et de gants brodés dans mes assiettes. Moi qui me couchais comme les poules, je tâche même de m'endormir aussi tard que Mlle Léocadia Gardi. Si vous aviez eu la curiosité de passer

hier devant les fenêtres de ma chambre, vous auriez pu
m'y voir, à une heure avancée de la nuit, étendue comme
elle, sur une chaise longue à col de cygne, et essayant
de lire — vainement d'ailleurs — à la lueur d'une bougie,
un exemplaire de Mallarmé.   5

LE PRINCE, *un peu surpris:* Pourquoi? Puisqu'il n'y a aucune chance
que je passe sous vos fenêtres, vous le savez, après l'heure où
je vous ai officiellement quittée? Ce jeu vous amuse?

AMANDA: Non. Mes livres, à moi, m'amusent et dormir...
                                     Elle s'étire en y pensant. 10

   Ah! dormir! Ce que je vais dormir, moi, après-demain!

LE PRINCE: Pourquoi alors?

AMANDA *se trouble imperceptiblement:* Pour rien... Quand je fais un
métier, j'aime le faire bien, voilà tout.
                Un petit silence. Ils se sont détournés inconsciemment. 15
                Les tziganes, aussitôt, se croient obligés de sauter sur leurs
                instruments et de jouer une petite ritournelle genre viennois.
                Quand le prince se remettra à parler, ils termineront en douce
                et se rassoiront.

LE PRINCE *coupe court et revient à son idée:* Ce second soir était celui 20
que devait décider de toute notre vie... Enfin de toute la vie
qui nous restait à vivre : un retour au matin ensemble et une
fin d'après-midi.

AMANDA: C'est ce soir-là que vous vous êtes aperçus que vous
aimiez?   25

LE PRINCE, *brusque:* Qui vous l'a dit?

AMANDA: Mais je ne sais pas... vous, sans doute.

LE PRINCE: Non, pas moi.

AMANDA: Votre tante, peut-être... Ou bien j'ai dû sans doute sentir
qu'il fallait que nous arrivions là, maintenant.   30

LE PRINCE: C'est ce second soir, oui. A mesure que cette nuit
étrange se déroulait, si pareille à d'autres nuits, pourtant,
avec ses musiques, ses lumières, son alcool, ses bavardages...

AMANDA: De quoi avez-vous parlé, ce soir-là, avant de vous mettre
à parler de vous?

LE PRINCE: De nous encore... C'était des vieilles maisons que nous
avions vues, de la couleur de l'eau de la Rance au crépuscule,
5   de ses poètes préférés, de ses chapeaux, des gens qui nous
entouraient et la faisaient rire. Mais c'était de nous.

AMANDA: C'était elle, ou vous, qui parliez?

LE PRINCE: Mais... tous les deux... plutôt elle. Pourquoi me posez-
vous cette question?

10 AMANDA, *pelotonnée au fond de sa banquette de velours rouge, doucement,*
après un petit silence: Pour rien. Parce qu'il me semble que moi,
si j'étais tombée amoureuse de vous au bout de ce long après-
midi d'eau et de lumière, j'aurais aimé laisser ma peau trop
chaude se reposer dans le satin de cette robe, sans bouger,
15 avec seulement la fraîcheur de ces diamants à mon bras et ce
verre glacé dans ma main... Et vous regarder, sans rien dire.

LE PRINCE *l'a écoutée calmement, il conclut:* C'est que vous êtes un petit
être primaire, incapable de s'analyser.

AMANDA: Sans doute.

20 LE PRINCE: Par chance d'ailleurs! Qu'aurions-nous fait de votre
analyse qui serait venue tout embrouiller?... A ce propos je ne saurai jamais vous tenir assez gré, mademoiselle, de
la façon parfaitement discrète dont vous aurez joué votre rôle.
Vous ne devez pas être naturellement bavarde?

25 AMANDA: Si, très. A l'atelier les autres m'appelaient : « la colle ».

LE PRINCE *met son monocle:* La colle?

AMANDA: Oui, parce que j'avais toujours une histoire à leur raconter.

LE PRINCE: Alors c'est que vous avez beaucoup de tact, c'est encore
mieux.

30 AMANDA *rit:* Oh! non plus! Dans l'atelier où j'étais avant celui où
on m'appelait « la colle », on m'appelait « la gaffe ».

LE PRINCE *met son monocle et la regarde encore.* La gaffe?

AMANDA: La gaffe.

LE PRINCE: Vous ne paraissez mériter aucun de ces deux surnoms.

AMANDA *sourit:* Je me méfie... Cela me ferait tellement plaisir de vous
réussir ces trois jours. Alors, puisque je ne puis pas prétendre parler comme Mlle Léocadia Gardi, je voudrais, 5
au moins, me taire comme elle. Il y a tant de façons de se
taire en écoutant parler l'homme qu'on aime. Quelle
était sa façon de se taire, à elle?

LE PRINCE, *sans rire, perdu dans ses souvenirs:* Elle parlait moins fort...

AMANDA, *stupéfaite:* Mais elle continuait quand même? 10

LE PRINCE, *très naturellement:* Oui. Elle amorçait généralement sa
réponse ou bien elle finissait la vôtre. D'autres fois, elle
murmurait des mots sans suite, des mots roumains, sa langue
maternelle... Ce monologue ininterrompu où se jouaient
toutes les facettes de son esprit multiple, ce continuel feu 15
d'artifice, était d'ailleurs un de ses plus grands charmes. Elle
le coupait de longs rires de gorge qui naissaient soudain dans
la conversation au moment où on s'y attendait le moins et
mouraient aussi vite — pour rien — dans une sorte de cri
bizarre. 20

AMANDA: Je dois vous paraître bien calme, en effet, à côté d'elle.

LE PRINCE: Mais non... mais non... Il ne pourrait être question
évidemment pour vous de retrouver le génie verbal de
cet être d'exception. C'est déjà beaucoup, croyez-le, mademoiselle, que vous ayez pu m'en donner cette précieuse image 25
muette.

> *Il lui a pris la main tout naturellement à la fin de cette phrase,*
> *il la repose soudain.*

Oh! pardon!

AMANDA, *interdite, regarde sa main:* Pourquoi? 30

LE PRINCE: J'allais vous prendre la main. Elle détestait qu'on la
touche.

AMANDA: Même vous?

Le Prince: Surtout moi. Elle prétendait que j'avais une poigne de brute, des mains de paysan qui faisaient mal.

Amanda *lui a pris vivement la main et la regarde:* Des mains de paysan?

Le Prince, *un peu gêné, sa main prisonnière:* J'ai des cals. Mais le yacht-
5   ing, les raquettes... Et puis je ne sais pas si vous êtes comme moi, je ne peux pas tenir un club les mains gantées.

Amanda, *qui regarde toujours sa main:* C'est drôle une main d'homme oisif. C'est vrai, cela porte autant de traces d'outils qu'une main de paysan. Prenez-moi le bras pour voir.
10   *Il lui prend le bras un peu surpris. Elle a fermé les yeux, elle murmure avec un petit sourire, au bout d'un temps:*

Non. Elles sont dures, mais elles ne font pas de mal.
             Le prince retire sa main. Il y a un silence. Les tziganes qui ont peur d'être pris en flagrant délit sautent sur leurs
15   *violons. Le premier violon est descendu jouer à leur table son air le plus amoureux. Le prince ne dit rien, il regarde sa main. Au bout d'un moment Amanda risque timidement.*

Amanda: Qu'est-ce que vous pensez?

Le Prince: Je pense que si elle m'avait dit — sur ma main — ce
20   que vous venez de me dire, j'aurais été fou de bonheur ce soir-là.

Amanda, *doucement:* Elle qui parlait tant, tout de même, elle a bien dû, entre autres choses, vous dire qu'elle vous aimait...

Le Prince *baisse la tête soudain comme un jeune homme gêné:* Oh! bien sûr!
25   Mais elle était si habile à s'analyser, à saisir au vol les moin-dres nuances de son esprit vagabond que cet aveu qu'elle m'a fait, certainement, pour répondre au mien, il me serait très difficile d'en redire les termes...

Amanda: Les termes exacts, non, mais les circonstances...

30 Le Prince: Même les circonstances. Elle était si folle ce soir-là, elle parlait de tout, se coupant, jouant à être avec moi, tout à tour, chaque amoureuse de la mythologie. Elle me cherchait des airs de taureau, des airs de cygne... Elle m'avait même obligé,

moi qui déteste cela, à allumer un énorme cigare, ne voulant
plus me voir qu'entouré de fumée, sous prétexte que je ne
sais plus quelle déesse avait été aimée par Jupiter déguisé en
nuage! Tout cela coupé de notes, de bribes d'opéras, de
réminiscences de ses rôles. J'ai également été Siegfried et   5
quelques autres héros wagnériens ce soir-là.

       Le violon a regagné sa place, la musique s'est tue douce-
       ment. Dans le silence, Amanda demande d'une petite voix
       unie:

AMANDA: Mais vous êtes bien sûr qu'elle ne vous a pas dit, une seule   10
    fois, tout simplement : « Je vous aime »?

LE PRINCE, *avec humeur:* Léocadia ne pouvait pas dire tout simple-
    ment : « Je vous aime! » Même à son lévrier favori, même au
    petit serpent apprivoisé qui la suivait partout!

AMANDA: A un petit serpent, fût-il apprivoisé, je ne dis pas... Mais   15
    à vous! Cela me fait de la peine qu'elle ne vous ait pas dit :
    « Je vous aime, Albert. »

LE PRINCE, *dont l'humeur croît:* Je vous aime, Albert! Je vous aime,
    Albert! Vous êtes ridicule, mademoiselle. Tâchez donc de
    comprendre une bonne fois qu'il ne s'agit pas du roman d'une   20
    petite fille et d'un calicot sur les bancs d'une station du
    métropolitain!

AMANDA: Bien sûr.

       Cherchant à le consoler gentiment:

Remarquez qu'elle vous a peut-être dit : « Je vous aime » au   25
    milieu de tout le reste et que vous ne l'avez pas entendu...

LE PRINCE: Je ne crois pas.

AMANDA: Mais quand vous venez ici, le soir, et que vous tâchez de la
    revoir en face de vous sur cette banquette, vous la faites parler
    en imagination?   30

LE PRINCE, *sourdement:* Bien sûr. Pas tout de suite... Parce qu'il
    me faut quelquefois plusieurs heures avant de recomposer son
    image, de l'asseoir en face de moi, immobile — elle bougeait
    tant! Et puis, je vous l'ai dit, beaucoup de détails me fuient.
    Ses yeux surtout, ses yeux m'échappent toujours...   35

AMANDA, *doucement:* Ils sont là ce soir.

LE PRINCE: Quand je l'ai enfin tout entière, avec beaucoup de précaution, j'essaie de la faire parler — oui.

AMANDA *ne peut s'empêcher de jeter un peu narquoise:* Vous reconstituez le monologue?

LE PRINCE, *ingénu:* Oh! non, cela serait trop difficile, presque insurmontable. Et puis son image est trop fragile, un rien la disperse... Je lui fais dire des choses très simples, au contraire... « Oui... non... peut-être... à ce soir... » Je lui fais dire mon nom aussi. Elle m'affublait, je vous l'ai dit, des surnoms les plus fous : le Berger Pâris, Erôs, Mon Cygne... Elle ne m'a jamais appelé par mon nom. Elle le trouvait bête. Il l'est, d'ailleurs — mais enfin, c'est le mien. Alors, je me venge, je lui fais dire : Albert. Toute une nuit, je lui fais répéter... Albert, mon cher Albert. Mais cela me fait généralement mal, ce n'est pas de chance, parce que la seule fois qu'elle me l'a dit, c'est en se moquant, et c'est toujours la forme de sa bouche à ce moment-là que je retrouve.

AMANDA: Et vous ne lui faites jamais dire : « Je vous aime. » C'est l'occasion tant que vous la tenez à votre merci.

LE PRINCE *a baissé la tête, gêné:* Non. Je n'ose pas. Et puis je ne m'imagine vraiment pas comment elle aurait pu le dire... Je ne retrouverais jamais sa bouche le disant.

AMANDA, *presque tendrement:* Regardez-moi bien.
> *Il lève la tête, surpris, la regarde, elle murmure doucement, les yeux clairs, bien en face:*

Je vous aime, Albert.
> *Il a pâli, il la regarde, les mâchoires serrées.*

AMANDA *répète doucement:* Je vous aime, Albert. Vous vous rappellerez le mouvement de ma bouche? Je vous aime, Albert.

LE PRINCE, *la gorge serrée, un peu dur:* Merci.
> *Il veut servir le champagne, mais sa main tremble, il ne doit pas incliner assez la bouteille, il n'y arrive pas. Le maître d'hôtel, qui le guette, se précipite, se méprenant sur son geste inachevé.*

Le Maître d'hôtel: Est-ce que je dois renouveler le champagne,
   monsieur?

Le Prince: Oui, merci.

> *Le maître d'hôtel emporte le seau. A ce moment l'orchestre,*
> *qui n'avait l'air d'attendre que ce signal, attaque un morceau* 5
> *très brillant. Le prince s'est dressé soudain furieux, il leur crie:*

Ah! non! Pas cette musique!

> *Les musiciens se sont arrêtés, médusés.*

Le Maître d'hôtel *s'avance:* Je m'excuse, monsieur. Mais monsieur
   ne peut avoir oublié qu'au moment où l'on a renouvelé le 10
   champagne à la table de monsieur, nous avions attaqué
   ce morceau. C'était un usage de la maison, d'ailleurs, d'attaquer toujours un morceau quand on renouvelait le champagne à une table. Et ce soir-là, je puis assurer à monsieur
   que nous n'y avons pas manqué.   15

Le Prince, *exaspéré:* Je vous dis que je ne veux pas de cette musique!
   Cela m'est égal ce qu'on a fait ce soir-là!

> *Le personnel se regarde, atterré, par cette phrase sacrilège.*
> *Le maître d'hôtel, qui est revenu avec son seau, tremble comme*
> *une feuille. On entend dans le silence le bruit de la bouteille* 20
> *sur le métal. Le prince et Amanda se regardent, hostiles.*
> *Le maître d'hôtel, qui tremble de plus en plus, laisse partir*
> *le bouchon. Explosion. La dame du vestiaire, sur le seuil*
> *de sa tanière, a poussé un cri de souris. Inondation. Le*
> *maître d'hôtel éponge, mort de confusion.*   25

Le Maître d'hôtel: Oh! pardon, monsieur... C'est la première
   fois depuis trente-sept ans. Cela doit être une mauvaise
   bouteille. Je vais la changer.

Amanda, *calmement au maître d'hôtel qui s'éloigne:* Pour moi, vous me
   redonnerez une anisette à l'eau.   30

Le Maître d'hôtel, *qui s'en va se cognant partout, égaré:* Une autre
   anisette à l'eau!

Le Prince, *entre ses dents, sans cesser de la fixer:* Pourquoi cette effronterie supplémentaire?

AMANDA, *calme:* Ce n'est pas une effronterie, mais, vraiment, votre mauvaise humeur sans raison m'est insupportable. Alors je redeviens « moi » un petit moment, pour me reposer. Et « moi », j'ai soif. Et je n'aime pas le champagne, « moi ».

5 LE PRINCE, *crie:* « Moi »! « Moi »! Comme c'est intéressant de dire « moi », n'est-ce pas? Depuis deux jours vous n'avez pas cessé d'être « vous », rassurez-vous, et de vous moquer, comme toutes vos pareilles, d'une chose que vous n'êtes pas capable de comprendre!

10 AMANDA: Vous mentez. Je tâche d'être « Elle » le plus honnêtement que je le peux, tant que je le peux. Je ne le peux plus, pour un instant. Pardonnez-moi et laissez-moi boire mon anisette.

LE PRINCE: Pourquoi vous êtes-vous amusée à dire ces mots qu'elle ne m'a pas dits et qui me faisaient du mal, vous le saviez?

15 AMANDA: J'espérais qu'ils vous feraient du bien.

LE PRINCE: Vous mentez.

AMANDA: Oui, je mens.

Elle s'est levée, toute simple.

Je vous demande pardon de la peine que je vais vous faire;
20 mais il me semble qu'un chagrin d'amour est une chose si belle, si précieuse, qu'on n'a pas le droit de la gaspiller comme cela. Alors, voilà... Vous allez me détester, me chasser probablement. Mais je rentrerai moins triste à Paris si je vous dis ce que je pense... Elle ne vous aimait pas, monsieur. Et cela, ce
25 n'est rien, cela n'empêche rien : on peut donner tout l'amour sans jamais rien recevoir — et puis au fond de vous, je suis sûre que vous le saviez déjà un peu qu'elle ne vous aimait pas vraiment. J'ai autre chose à vous dire de plus grave, avant de m'en aller recoudre mes chapeaux... Voilà : vous
30 êtes jeune, riche, beau, charmant et vos mains de paysan ne sont pas dures... Vous devriez tâcher de vivre, d'être heureux et d'oublier vite cette histoire; parce que je crois bien que, vous non plus, monsieur, vous ne l'avez pas aimée vraiment.

Il y a un silence où chacun a suspendu son souffle. Puis
35 *le prince dit d'une voix calme:*

LE PRINCE: Vous êtes complètement idiote, mademoiselle, et d'une
    impudence que je ne veux même pas qualifier. Maître
    d'hôtel, faites apporter le vestiaire de mademoiselle, s'il
    vous plaît! L'allée du château est un peu sombre, on va
    vous raccompagner. Vous pourrez vous faire régler par   5
    l'intendant de ma tante dès demain matin.

AMANDA, *tranquille:* Votre façon de mêler l'argent à tout cela ne
    fait rire et ne cingle que vous.

LE PRINCE *ricane:* L'admirable désintéressement du peuple, je
    l'oubliais! Si vous y tenez, on ne vous donnera rien, rassurez- 10
    vous.

AMANDA: Si. On me donnera le prix de mon aller-retour et celui de
    trois journées d'ouvrière modiste, au tarif syndical pour la
    région parisienne. Je puis vous le dire tout de suite, à un
    centime près...   15

LE PRINCE: Je vous en dispense.

LE MAÎTRE D'HÔTEL *s'avance, précédant la dame du vestiaire avec la cape
    d'Amanda. Il chevrote d'émotion:* Le... le... le vestiaire de made-
    moiselle...

AMANDA: Vous le ferez rapporter au château. « Moi », je ne porte 20
    pas de fourrures en été. En été, j'ai chaud, « moi ».

                                Et elle va sortir dignement.

LE PRINCE *la rattrape:* Mademoiselle. Je fais partie d'une caste où la
    littérature comique recrute volontiers son personnel de
    niais et de gâteux... J'ai été étrangement élevé, c'est vrai, 25
    par de vieilles dames, de vieux prêtres; et, sorti de leurs mains,
    le monde s'est borné pour moi à une société qui ne doit
    certainement pas avoir beaucoup de contacts avec ce que
    vous appelez la vie... De là à me prendre de prime abord
    pour un imbécile, il n'y a qu'un pas.   30

AMANDA: Mais je ne vous ai jamais pris pour un imbécile, monsieur.

LE PRINCE: Si, un peu. Ne protestez pas, c'est tellement naturel.
    Moi, je viens bien de vous traiter d'idiote... On prend toujours
    pour des imbéciles les gens qui ne sentent pas comme vous.

Mais n'ouvrons pas cette parenthèse, nous n'en sortirions
plus... Il y a un préjugé indiscutable, mademoiselle, contre
le prolétaire ivrogne, sombre ganache qui mène le pays aux
abîmes, paralyse la production, ne fait pas d'enfants, veut
5   absolument jouer aux boules deux fois par semaine et méconn-
aît tout ce qui est un peu grand, un peu sacré, comme on
dit. Pourquoi ne voulez-vous pas qu'il y ait également un
préjugé contre un malheureux garçon qui loge, comme
moi, dans un monument du XVIe siècle et porte vingt-deux
10   noms agrémentés de titres ayant perdu toute signification?...
Je vais peut-être vous étonner, mademoiselle. Mais il est
aussi difficile à un homme comme moi de faire admettre qu'il
n'est pas une buse que cela peut l'être au fils des derniers
paysans goitreux du Cantal... Et encore, le fils des paysans
15   goitreux, dès qu'on a compris qu'il n'est pas une buse, on lui
donne des bourses et on l'encourage à devenir président de
la République, s'il est travailleur. Moi, jamais.

AMANDA: Je ne vois pas du tout où vous voulez en venir, monsieur.

LE PRINCE: A ceci, mademoiselle. Nous ne sommes des imbéciles ni
20   vous ni moi. Accordons-nous cela, voulez-vous? Pourtant,
c'est un fait, mon amour vous semble une chose absolument
funambulesque. Vous ne pouvez pas croire que j'aie pu
aimer une personne aussi « comique « que Mlle Gardi.

AMANDA: Je n'ai jamais dit comique, monsieur.

25 LE PRINCE: Parce qu'elle est morte et que vous êtes une petite fille
sensible pour qui les morts sont sacrés. Mais si elle était là ce
soir, à cette place, vous ressemblant trait pour trait et habillée
comme vous, vous lui éclateriez pourtant de rire au nez.
Dites-moi donc oui. Vous le pensez.

30 AMANDA *baisse la tête:* Oui, monsieur.

LE PRINCE: Eh bien, puisque nous ne sommes des imbéciles ni
l'un ni l'autre, nous allons nous expliquer, mademoiselle, une
bonne fois. Asseyez-vous.

AMANDA, *s'asseyant:* Pourquoi?

LE PRINCE: Parce que je vais vous dire un très long monologue.

Et, en effet, il commence:

Voilà. C'est très joli, la vie, quand on la raconte comme cela—ou quand on la lit dans les livres d'histoire, mais cela a un inconvénient : c'est qu'il faut la vivre... On ne peut pourtant 5 pas dormir plus de douze heures par jour. Restent les procédés classiques : l'alcool, les drogues. Mais cela me dégoûte un peu personnellement, de me fabriquer un bonheur avec des remèdes... Vous me direz qu'il y a le gai courage, genre boy-scout, mais cela, c'est une grâce, une grâce que 10 Dieu a distribuée, comme les autres, très parcimonieusement. Quant à la méthode qui consiste à viser sa descente de lit du bon pied tous les matins et à se mettre devant une glace pour faire sa gymnastique suédoise en se répétant qu'on est heureux... Non, non, tout de même. C'est une hygiène 15 de constipés. Je m'ennuyais donc... Avec tout ce que le Ciel vous a donné, soupireront les âmes vertueuses? Quand il y a tant de malheureux? Raisonnement absurde. Allez donc dire à ces malheureux, par exemple : qu'ils devraient se réjouir de leur excellent estomac au lieu de se plaindre, 20 quand il y a tant de millionnaires gastralgiques. Ils vous sauteront dessus. Et ils auront parfaitement raison. Mon cas est exactement le même, mademoiselle. Tout comme un bon estomac, le confort est une habitude. Il faut vraiment être un paltoquet pour pouvoir y trouver son bonheur. Je 25 m'ennuyais... Ah! si vous aviez été obligé de travailler huit heures par jour pour gagner votre vie, jeune homme!... Sans doute. Devant un tour à l'usine, ou une pile de factures, j'aurais pu avoir le loisir, étant pauvre, de ne pas penser à moi en semaine et de me contenter, comme tout un chacun, 30 de m'ennuyer ferme le dimanche. C'est vrai. Mais le Ciel a voulu m'envoyer cette épreuve des sept dimanches. Je tiens à la subir honnêtement. Je ne me vois pas non plus trichant dans des comités charitables ou dans des sociétés pour l'encouragement à l'élevage de certaines races de chevaux. 35 Quant à travailler pour accroître ma fortune, vous m'accorderez que cela serait un geste parfaitement ignoble et immoral.

Que vous dirais-je encore? Je ne suis pas artiste. Je n'ai pas de dons. J'ai une assez bonne mémoire, il est vrai, mais je trouve plaisant d'user sa vie à enregistrer des sciences si l'on n'est pas capable de les recréer tout seul. Reste l'organisation rationnelle, draconienne[5] des plaisirs. C'est à quoi s'emploient la plupart des gens de mon monde. Eh bien, mademoiselle, laissez-moi vous dire que cela, c'est une vie de bagnard. Si les pauvres bougres dépensaient dans le commerce la moitié de l'énergie, de l'imagination, de la ténacité que dépensent les oisifs pour aller bâiller sous des prétextes aux quatre coins de l'Europe, ils y feraient rapidement d'immenses fortunes... Je n'ai pas de vice non plus. Ah! quelle chose merveilleuse, quelle chose forte et simple : un vice! Je n'en ai point.

Un silence, il s'est arrêté devant cette constatation. Il rêve.

AMANDA *demande timidement:* Est-ce que c'est tout, monsieur?

LE PRINCE: Presque, mademoiselle. Dans ce brouillard d'ennui dont je ne pensais jamais sortir, un être est passé, faisant de la lumière pendant trois jours. Un être insensé, je vous accorde, suivi de lévriers, de serpents apprivoisés, un être qui se levait au crépuscule et se couchait à l'aube et dont les nuits se passaient à un long bavardage sans suite, coupé de bribes d'opéras. Une mangeuse d'orchidées qui ne vivait que d'un peu de vin de Champagne et de beaucoup de passion, une folle qui s'est étranglée d'un geste avec son écharpe un soir où elle avait trop parlé de Bach... Mais cette folle, avec ses raffinements ridicules, ses frivolités, c'était l'intelligence, mademoiselle...

Il la regarde, insolent.

L'intelligence. Une autre déesse dont vous avez peut-être entendu parler? C'est en souvenir d'elle que je laisse volontiers les gamins de Pont-au-Bronc faire cortège dans les rues derrière moi en me singeant. Je pense que des gamins ont dû la suivre

[5]Draconian, severe, rigorous. Draco was an Athenian law-maker of the seventh century B.C. His laws were so severe they were said to have been written with blood.

aussi dans les rues, un peu partout... En trois jours, avant de
me laisser dans ce monde désert, avec ce souvenir qui
m'échappe, cette folle a eu le temps de me faire comprendre
le prix de quelques apparences. Celui de deux jolies lèvres
qui ne disent que « je t'aime » entre autres; d'une chair 5
fraîche qui ne fait que plaisir à toucher. Le prix de votre
chère quiétude, de votre cher amour heureux de se chauffer
au soleil, dans les papiers gras des pique-niques et les flonflons
et aussi celui de notre âpre joie, à nous autres, qui n'a rien à
voir avec votre petit bonheur.   10

Un temps, il crie soudain:

Je ne vous aime pas, mademoiselle. Vous êtes belle, plus belle
qu'elle, peut-être — vous êtes désirable, vous êtes gaie, vous
êtes tendre, vous êtes tout ce que vous voulez : la jeunesse,
la nature, la vie, et vous avez peut-être raison par-dessus le 15
marché — mais je ne vous aime pas.

AMANDA, *après un petit temps:* C'est tout cette fois, monsieur?

LE PRINCE : Oui, mademoiselle, c'est tout.

AMANDA : Eh bien, cela m'est complètement égal tout ce que vous
venez de me dire.   20

*Elle se lève, traverse, hautaine, la boîte de nuit, sort en
claquant la porte. Fait quelques pas décidés en claquant les
talons dans le parc et puis, tout d'un coup, quand elle sent
qu'il n'y a plus de galerie, s'écroule en sanglotant sur un
banc de pierre dans l'ombre. Le prince, sa tirade dite, est 25
resté tout raide, très fier de lui. Il regarde autour de lui. Il
est seul. Il va mécaniquement à sa table et, au maître
d'hôtel, qui s'approche, il demande lamentable:*

LE PRINCE: Vous n'en avez jamais douté, vous, que je l'ai aimée
plus que tout au monde, n'est ce pas?   30

LE MAÎTRE D'HÔTEL, *lui servant le champagne, obséquieux:* Oh! Monsieur... Comment monsieur peut-il se demander? Mais
monsieur l'a adorée, voyons. Nous en causons parfois entre
nous, mes camarades et moi. C'est un amour inoubliable,
monsieur, même pour nous autres...   35

Et tandis que le prince, qui s'est pris la tête à deux mains, commence à rêver, il se retourne vers les musiciens et commande, avec un ignoble clin d'œil:

Musique!

Les musiciens, goguenards, attaquent vigoureusement leur valse. Le prince s'est écroulé la tête dans ses mains. Amanda, dans l'ombre du parc, sanglote doucement sur le banc.

LE RIDEAU TOMBE

CINQUIÈME TABLEAU

Quand le rideau se relève sur le cinquième tableau, c'est une aube grise et rose. A des frémissements incertains on devine que le lever du soleil est proche. Amanda, endormie dans ses larmes, a glissé par terre devant le banc de pierre. Les lumières de la boîte de nuit se sont éteintes, le maître 5 *d'hôtel et les autres vieux papillons nocturnes ont disparu. Dans le désordre de la salle déserte, le prince en habit dort encore, la tête dans ses bras, écroulé sur la table au milieu des verres.*
On entend des coups de fusil au loin. Quelques secondes 10 *et les coups de fusil se rapprochent. Entrent, en costumes de chasse vieillots, la duchesse et Hector, armés de longues canardières. Ils sont suivis d'un garde portant des fusils de rechange et des carniers vides.*

LE GARDE: A vous, monsieur le baron!   15

HECTOR *tire dans la salle et dépité:* Raté!

LE GARDE: A vous, madame la duchesse!

LA DUCHESSE *tire à son tour et ravie:* Raté! Quel bonheur! Je suis toujours contente quand je rate un oiseau. C'est si joli un

oiseau qui vole, si confiant, si heureux. Je me demande bien
pourquoi on s'évertue à jeter, à dates fixes, des boulettes de
plomb à ces malheureuses petites bêtes.

  Soudain elle aperçoit une blancheur au pied du banc, elle
5   *pousse un cri.*

Oh! mon Dieu! Qu'est-ce que c'est que cette tache blanche?
Auriez-vous atteint quelque chose, Hector?

HECTOR, *troublé:* Je... Je ne crois pas, ma chère amie.

LE GARDE *s'est avancé:* C'est la jeune invitée de Mme la duchesse.

10 LA DUCHESSE: Que me dites-vous, Germain, blessée?

LE GARDE: Non. Endormie, madame la duchesse.

LA DUCHESSE *a été à Amanda:* Endormie... et blessée sans doute.
Son visage est encore plein de larmes.

AMANDA *a poussé un petit cri puis elle reconnaît la duchesse:* Ah! c'est vous,
15   madame! Non, je ne veux plus parler à personne. Je veux
m'en aller d'ici le plus vite possible.

LA DUCHESSE *a fait signe aux autres qui sont sortis:* Vous en aller, mon
enfant. Pourquoi?

AMANDA: Elle est plus forte que moi, madame... Je me moque
20   d'elle, vous entendez, je me moque d'elle et je sais bien que
je suis plus forte qu'elle. Mais elle est plus forte que moi.

LA DUCHESSE: Elle est très forte, mon enfant, mais pas plus forte
que vous. Et puis, de vous à moi, elle a un immense défaut
pour une jeune femme : elle est morte.

25 AMANDA: Elle ne voulait même pas qu'il lui prenne le bras. Pourtant
je sais moi, que ses mains ne sont pas dures... Ce sont des
mains toutes simples, ses mains, des mains faites pour prendre,
pour toucher. S'il les écoutait seulement... Mais il ne les
écoute pas. Alors il faut que je m'en aille parce qu'elle est
30   plus forte que moi.

La Duchesse : Vous avez vingt ans, vous êtes vivante et vous êtes
    amoureuse : vous êtes plus forte que tout le monde ce matin.
    Parce que, regardez autour de vous au lieu de pleurnicher
    sur des songes de la nuit : c'est le matin maintenant...
            En effet la lumière a changé autour d'elles et les trans-   5
            formations vont s'accomplir à mesure que la duchesse parle
            comme une vieille fée.

    Le soleil est déjà presque levé. Tout espère et s'entrouvre au
    même rythme : les corolles, les jeunes feuilles hésitantes et les
    volets des bonnes gens. Sentez. Voici les premières odeurs   10
    du jour. L'odeur de la terre, l'odeur de l'herbe mouillée,
    puis celle du café qui est l'hommage de l'homme à l'aurore...
            En effet le patron de l'auberge de Sainte-Anne-du-Pouldu a
            ouvert ses volets et il est apparu sur le seuil, bâillant et
            moulant déjà son café. Plus tard, il sortira les petits arbustes   15
            et les tables de la terrasse.

    Voici les premières couleurs franches, les vrais verts, les vrais
    roses. Bientôt ce sera le premier bruissement d'abeille, la pre-
    mière tiédeur. Léocadia avait peut-être les forces de la nuit
    pour elle tout à l'heure... Vous avez vingt ans; vous êtes   20
    vivante et vous êtes amoureuse. Etirez-vous au soleil et éclatez
    de rire. Toutes les puissances du matin sont avec vous!
            La duchesse disparaît sans qu'on s'en aperçoive, le soleil
            est devenu tout à coup éclatant, la musique triomphante.
            Amanda s'étire et rit au soleil. La musique finit dans son   25
            éclat de rire heureux. Elle va à l'auberge dont le patron
            achève d'arranger la terrasse.

Amanda : Monsieur!
            Le patron fait comme s'il n'entendait pas.

    Patron!   30
            Même jeu du patron — Amanda tape sur la table avec un
            caillou.
            Il la regarde, va constater si elle n'a pas abîmé le vernis
            de la table sur laquelle il donne un coup de chiffon hostile.

    C'est bien l'auberge de Sainte-Anne-du-Pouldu ici?   35
            Le patron montre l'enseigne d'un geste.

Merci. Vous êtes muet?

LE PATRON: Oui.

AMANDA, *très naturelle avec un sourire:* C'est ennuyeux d'être muet?

LE PATRON, *a demi vaincu par le sourire, répond boudeur:* On s'y fait,
5   comme à tout.

AMANDA: Cela vous a pris jeune?

LE PATRON: Trente-sept ans.

AMANDA: Qu'est-ce que vous faites pour vous soigner?

LE PATRON: Des gargarismes.

10 AMANDA: Des gargarismes! De vrais gargarismes?

LE PATRON, *qui est tout à fait apprivoisé, s'éclaire d'un sourire:* Non.
     Mais aussi je ne suis pas vraiment muet. En fait de gar-
     garismes pour moi, c'est une tomate et une oxygénée avant
     chaque repas. Quatre par jour, pas plus. J'ouvre l'œil.
15   J'ai eu un grand-père alcoolique.

AMANDA: Pourquoi ne vouliez-vous pas me répondre tout à l'heure?

LE PATRON: Je me méfiais. Je ne vous avais jamais parlé, je ne vous
     connaissais pas en somme.

AMANDA: Et maintenant?

20 LE PATRON: Maintenant que nous avons parlé, c'est différent.
     Je vous connais.

Il ajoute après un temps:

     Quelquefois, quand on me l'offre, j'en prends aussi une le
     matin, malgré le grand-père. Mais c'est exceptionnel.

25 AMANDA: Une quoi?

LE PATRON: Une tomate.

AMANDA: Qu'est-ce que c'est une tomate?

LE PATRON: C'est une oxygénée avec du sirop de grenadine.

AMANDA: Et une oxygénée?

LE PATRON: C'est comme la tomate, seulement on ne met pas le sirop. Alors ce sera deux tomates?

AMANDA: Ce sera deux tomates. Mais, dites-moi, est-ce que le souvenir du grand-père ne vous empêchera pas de boire 5 aussi la mienne? Je n'ai pas soif du tout ce matin.

LE PATRON: A la rigueur, non. Quand c'est une dame qui le demande, je le fléchis.

> *Il rentre dans l'auberge et revient avec les bouteilles et les verres.* 10

Vous êtes de Dinard?

AMANDA: Oui.

LE PATRON: Et vous avez passé la barrière du parc sans vous en apercevoir?

AMANDA: Oui. 15

LE PATRON: Tout l'été il y en a comme ça qui se trompent et qui croient que je suis un vrai café. Cela me permet de faire des petites affaires supplémentaires...

AMANDA: Parce que vous n'êtes pas un vrai café?

LE PATRON: Non... Ah! c'est toute une histoire... Le propriétaire, 20 c'est un prince. Mais attention, hein? Un vrai. Il a fait reconstruire dans son parc tous les endroits où il avait rencontré une femme autrefois. Un excentrique, quoi! Ils disent que c'est pour se souvenir... Pas si bête! Pour moi, il y a une histoire de lotissement d'accord avec la muni- 25 cipalité. C'est tout francs-maçons et jésuites là-dedans. Moi, je ferme les yeux. C'est pas mes oignons.

AMANDA: Et c'est ici qu'ils se sont rencontrés?

LE PATRON: Qui?

AMANDA: Le prince et cette jeune femme? 30

LE PATRON: Il paraît que oui...

AMANDA, *étonnée:* Comment « il paraît »? Vous ne vous souvenez
déjà plus?

LE PATRON, *qui attaque sa deuxième tomate:* Et pour cause! je vais vous
dire... C'était une affaire... Les propriétaires de l'auberge,
quand on leur a proposé de racheter le fonds et de reconstruire ici, cela faisait dix-sept ans qu'ils tenaient. Ils ont
préféré se retirer chez eux, du côté de Pornavalo-en-Arzon...
Alors ils m'ont mis en gérance.

AMANDA: Mais quand le prince vient... S'il vous questionnait?

LE PATRON: Oh! vous pensez bien qu'ils m'ont mis au courant!
Alors quand on me demande, je raconte... Comment
ils sont arrivés en taxi, ces messieurs-dames, comment
ils ont commandé leur limonade... Tous les détails, quoi!
Et faut pas croire... Je les raconte aussi bien qu'un autre
qui les aurait vues, leurs foutaises... Des fois même quand je
suis lancé, j'invente. Et il ne s'en aperçoit même pas...
C'est à croire que, lui non plus, il n'était pas là à l'époque, le
prince!

> *Il est rentré dans l'auberge ravi de son effet.*

AMANDA *le rappelle:* Monsieur! Monsieur-patron!

LE PATRON *réapparaît sur le seuil:* Qu'est-ce que c'est?

AMANDA: Je vous aime beaucoup.

LE PATRON, *inquiet:* Tiens, pourquoi?

AMANDA: Je ne vous le dirai jamais, mais vous venez de me faire un
grand cadeau.

LE PATRON: Ah?

> *Il la regarde, méfiant.*

Pour les tomates en tout cas, c'est vous qui invitiez. C'est
trois francs cinquante...

AMANDA: Voilà. Et c'est moi qui vous remercie.

> *A ce moment le prince, qui s'est réveillé, sort, le col relevé,*
> *frissonnant, de la boîte de nuit.*

AMANDA, *au patron qui n'a pas encore compris:* Sauvez-vous vite!
> *Elle s'est dressée devant le prince souriante, un peu apeurée tout de même.*

LE PRINCE *la voit soudain:* Vous êtes là?

AMANDA: Oui, je suis là.   5

LE PRINCE: Je vous demande pardon de ma violence de tout à l'heure.

AMANDA: N'en parlons plus.

LE PRINCE, *las, en écho:* Non. N'en parlons plus.

> *Il frissonne.* 10

AMANDA: Vous frissonnez?

LE PRINCE: J'ai toujours un peu froid le matin.

AMANDA: Vous ne voulez pas vous asseoir au soleil? Il est déjà chaud.

> *Le prince s'avance, il regarde l'auberge.* 15

LE PRINCE: C'est l'auberge où nous nous étions vus... Nous nous étions mis à l'intérieur près de la petite fenêtre aux rideaux rouges. Il faisait froid.

AMANDA: Si nous nous mettions ici, à la terrasse? Il fait si doux ce matin.   20

LE PRINCE *revient, se cognant aux chaises:* Oui... pardon... Si vous voulez. Je me cogne aux chaises. Je suis toujours très maladroit. Et puis je suis encore un peu endormi.

AMANDA: Vous ne vous levez jamais tôt?

LE PRINCE: Habituellement je rentre me coucher à l'aube. Mais 25 je m'étais assoupi sur la table, j'étais en retard... Cela fait que maintenant je suis très en avance.

> *Il frissonne.*

Il fait froid le matin.

AMANDA: Non, je vous assure, il fait presque chaud. D'ailleurs, 30 écoutez les abeilles. Elles ne diraient pas cela s'il faisait froid.

LE PRINCE: C'est certainement elles qui ont raison.
> *Il voit qu'Amanda le regarde en souriant.*

Vous souriez, pourquoi?

AMANDA: Vous me paraissiez terrible tout à l'heure. Plus main-
5   tenant.

LE PRINCE, *qui frissonne encore:* Je ne suis pas terrible.
> *Le patron s'est montré, surpris et soupçonneux, il va au prince.*

LE PATRON: Monsieur me dira. La limonade que je sers habituelle-
10   ment à l'intérieur, est-ce que je dois la servir ici?

AMANDA: Ne nous servez pas la limonade, mais deux cafés au lait.
Bien chauds. Monsieur a froid.

LE PATRON, *sidéré:* Des cafés au lait? Ah! bon. Je proposais la
limonade parce que d'habitude c'est la limonade. Voilà.
15   Si on préfère des cafés au lait, je peux naturellement faire
des cafés au lait, moi.

AMANDA *lui crie pendant qu'il s'éloigne:* Dans de grandes tasses, avec
du pain au beurre.

LE PATRON *répète, écœuré:* Dans de grandes tasses, avec du pain au
20   beurre.
> *Il disparaît en grommelant.*

Si je me serais douté.[1] Quelle intrigante celle-là!

AMANDA: Cela ne vous ennuie pas que nous déjeunions ensemble?

LE PRINCE: Non, cela ne m'ennuie pas...
25   *Il chasse encore des abeilles.*

Encore ces sales bêtes...

AMANDA: Oh! ne les chassez pas.

LE PRINCE: Pourquoi? Cela vous amuserait de me voir dévorer
vivant?

---

[1]The conditional after *si* is incorrect. Here it reveals Le Patron's lack of education.

AMANDA: Elles ne vous dévoreront pas, je vous le jure.

LE PRINCE: Vous les connaissez?

AMANDA: Très bien.

LE PRINCE: Comme vous avez l'air d'être chez vous, vous, dans
le matin.   5

AMANDA: Je suis bien heureuse de vous recevoir... Voici mes arbres,
mes abeilles, mon soleil...

LE PRINCE *la regarde et murmure:* Vous êtes terrible.

AMANDA: C'est vrai?

LE PRINCE: Vous êtes comme une sorte de petit ogre rose et florissant. 10
*Le patron a apporté du café et du lait dans des tasses bleues,
un monceau de tartines.*

LE PATRON: Voilà les cafés au lait. Mais dites-moi, monsieur,
est-ce que j'apporte aussi la limonade?

AMANDA: Non!   15

LE PATRON: Comment non? Alors, ça, c'est la fin de tout!
Il sort en grommelant.

LE PRINCE *regarde Amanda qui beurre les tartines:* Vous allez vraiment
manger tout cela?

AMANDA: Vraiment! Ne me regardez pas comme ça. Votre effet 20
est raté d'avance. Ce matin, je n'ai pas honte. J'ai faim.

LE PRINCE: Un petit ogre joyeux et sûr de lui, sans trace d'une
douleur, sans trace d'une honte... Vous me faites un peu
peur. Qui êtes-vous?

AMANDA: Rien qu'une jeune fille en robe blanche en train de beurrer 25
une tartine de pain au soleil.

LE PRINCE: Ne vous ai-je pas rencontrée l'autre soir dans ce parc
auprès d'un petit obélisque?

AMANDA: Si, et je vous ai demandé le chemin de la mer.

LE PRINCE: Il y a trois jours?

AMANDA: Oui. Le lendemain nous nous sommes retrouvés au
château de votre tante et puis nous avons loué un bateau avec
lequel nous avons remonté la Rance jusqu'à Dinard. Hier
5   soir, après ce long après-midi silencieux où nous avons rêvé
couchés l'un près de l'autre au soleil, nous avons passé la
nuit au « Beau Danube ». Vous savez, cette boîte de tziganes
ridicules qui rabâchaient tout le temps le même air faussement viennois...

10   Tra la la la...

LE PRINCE *chantonne doucement avec elle:* Tra la la la...

AMANDA: Tra la la la lère...
*La musique a repris doucement le thème au loin, elle s'en
amusera un petit peu et le laissera mourir.*

15   Et puis c'est le matin maintenant. Nous déjeunons ensemble
à cette petite auberge de Sainte-Anne que vous avez voulu me
montrer. On est bien au soleil dans votre petite auberge.

LE PRINCE *crie soudain angoissé:* Mais c'est le dernier jour!

AMANDA, *tranquillement:* Pourquoi le dernier jour? C'est le troisième
20   tout simplement et il ne fait que commencer.

LE PRINCE *demande encore:* Mais ce soir?

AMANDA: Ce soir? Nous serons ensemble où vous voudrez.

LE PRINCE: Et demain matin?

AMANDA: Nous serons près l'un de l'autre comme ce matin et cela
25   sera le début de notre quatrième jour.
Un silence, le prince frissonne — Amanda lui prend le bras.

Vous avez froid, entrons.
*Le prince, en entrant dans la salle, va droit à la petite table
près de la fenêtre.*

30 AMANDA *tout simplement l'attire:* Non, celle-là est à l'ombre. Celle-ci
plutôt, au soleil.

LE PRINCE: Je ne veux pas.

AMANDA: Pourquoi? Moi aussi, vous m'avez connue trois jours, trois jours semblables, et vous m'aimez, moi aussi.

LE PRINCE *crie:* Je ne vous aime pas!

AMANDA, *doucement:* Si vous ne m'aimiez pas, vous ne le crieriez pas 5
si fort... Oh! s'il vous plaît, ne vous débattez plus dans ce
rêve où tout vous échappe. C'est le matin, maintenant.
Regardez comme le monde est plein de choses sûres autour
de nous, de fleurs qu'on peut sentir, d'herbes qu'on peut
prendre et froisser dans ses mains.   10
        Elle est en face de lui. Elle dit soudain dans un souffle:

Posez vos deux mains sur moi, s'il vous plaît, vous allez voir
comme tout va devenir facile tout d'un coup.

LE PRINCE: J'ai peur.

AMANDA: Pourquoi? Elles sont si simples, vos mains. Ce n'est 15
pas elles qui diront : « Je ne veux pas oublier, je ne veux
pas que ce souvenir s'efface... » Les mains aiment et puis un
matin elles se réveillent étrangères, ce ne sont plus que des
mains à dire bonjour et à caresser distraitement les cheveux.
Voilà tout. Et c'est bien ainsi. Posez vos deux mains sur 20
moi, s'il vous plaît.

LE PRINCE: Si je vous touche, Amanda, je sens que je vous aimerai,
mais je ne veux pas vous toucher.

AMANDA *a un petit rire frais et tendre:* Vous ne me faites plus peur de
tout. Hier encore vous étiez une sorte de monsieur pour moi, 25
maintenant vous êtes comme un petit poisson qui veut remonter le courant comme tous les autres, contre toute la force
de la rivière.

LE PRINCE *soupire malgré lui:* Léocadia...

AMANDA, *tout doucement, comme si c'était elle:* Oui, mon amour. Posez 30
vos deux mains sur mes hanches...
        *Un silence. Le prince met soudain ses mains autour d'elle
        et ne bouge plus. Elle a fermé les yeux, elle murmure:*

Vous ne dites rien. C'est moi qui ai peur maintenant.

LE PRINCE, *d'une étrange voix rauque:* Comme c'est simple, c'est vrai. Comme c'est facile. Comme c'est sûr.

> *Il l'embrasse soudain. Le mur de la petite auberge se*
> *referme sur eux. Entrent la duchesse et Hector, les fusils*
> *bas. Derrière eux le garde qui porte cérémonieusement un*
> *carnier où se devine une forme.*

LA DUCHESSE: C'est vous. Je vous dis que c'est vous, mon tout bon.

HECTOR: Cela ne peut pas être moi!

LA DUCHESSE: Vous êtes d'une telle maladresse! Je savais bien qu'un jour vous atteindriez un oiseau.

HECTOR: Je vous ai parfaitement vue viser, je le soutiendrais sur un bûcher!

LA DUCHESSE: Sur un bûcher... sur un bûcher... Comme si j'allais gâcher mon bois de chauffage pour vous faire avouer que vous avez tué un héron.

LE GARDE: Ce n'est pas un héron non plus, madame la duchesse, ni un flamant. C'est un oiseau extravagant, comme on n'en voit pas souvent dans le pays. Un drôle de volatile. Ça a des plumes trop longues, ça s'accroche partout, des pattes trop hautes, ça ne sait plus où se poser. Avec ça des aigrettes de toutes les couleurs à se faire remarquer à cinq cents mètres... Et ce cri — vous avez entendu ce cri cocasse quand Mme la duchesse a tiré — c'est bien simple, ça ne ressemble à aucun autre oiseau connu.

HECTOR: Vous voyez bien que c'est vous qui avez tiré! Germain le dit aussi.

LA DUCHESSE: Eh bien, oui, c'est moi qui ai tiré, vous êtes content? Vous pouvez rentrer, Germain. Et emportez la bête.

LE GARDE: Qu'est-ce qu'il faut en faire, madame la duchesse? Ça ne se mange même pas, ce malheureux zoiseau.[2]

---

[2]Zoiseau = oiseau.

La Duchesse : Enterrez-la.

Le Garde : Bien, madame la duchesse.

> *Il salue, va partir, la duchesse le rappelle:*

La Duchesse : Germain?

Le Garde : Madame la duchesse?   5

La Duchesse : Dans mes rosiers.

> *Le garde salue et sort. Un silence, la duchesse et Hector
> se sont assis côte à côte sur le banc, ils rêvent.*

La Duchesse, *brusquement:* A quoi pensez-vous, Hector?

Hector *sursaute:* C'est drôle, je pensais à...   10

La Duchesse : Moi aussi. C'est drôle. Poor Léocadia! Elle en avait
été réduite à s'étrangler elle-même avec sa belle écharpe,
et voilà que nous venons de la tuer une seconde fois dans son
souvenir. Il fallait sauver notre petit Albert. Et si ce sont
les jeunes Amandas qui sauvent les petits Alberts, vivent les 15
jeunes Amandas! Mais si inutile, si frivole et si foncièrement
injuste qu'elle ait pu sembler, la pauvre chère raffinée, personne ne pourra nous empêcher de la regretter et de lui verser
notre petite larme.

Hector, *ému:* Non, mon amie.   20

La Duchesse *le toise, et sévère:* Ce n'est pas à vous que je parlais.

> *Elle montre le ciel.*

C'est à Gaston.

> *Et elle s'en va, suivie d'Hector ahuri et trottinant, tandis
> que le rideau tombe sur une petite ritournelle pas trop triste.* 25

LE RIDEAU TOMBE

EXERCISES

PREMIER TABLEAU

Questions sur le texte

1. Décrivez le décor.
2. Quand Louis XV a-t-il régné? Quelle phrase cite-t-on en parlant de Louis XV?
3. Que veut dire la Duchesse quand elle dit: "...Je n'ai jamais porté que le Louis XV"?
4. Quel est l'élément fantaisiste introduit par la Duchesse?
5. Pourquoi Amanda a-t-elle été renvoyée de son emploi?
6. Comment réagit-elle en apprenant cette nouvelle?
7. Pourquoi Amanda ne veut-elle pas manger?
8. La Duchesse trouve-t-elle Amanda adorable? Pourquoi?
9. Amanda est-elle prisonnière?
10. Pourquoi Amanda tient-elle à exercer le métier de modiste?
11. Quand François Ier a-t-il vécu? Que s'est-il passé pendant son règne?
12. La Duchesse est-elle fière de ses ancêtres?
13. Que s'est-il passé en 89?
14. Pourquoi Amanda croit-elle devenir folle?
15. Qui était le général Boulanger? Expliquez l'Affaire Boulanger.
16. Pourquoi Amanda veut-elle rentrer à Paris?

Liste d'expressions à retenir

1. faire un effort: "Il faudra *faire un* sérieux *effort*." (p. 1)
2. avoir tort: "Vous *avez eu tort*." (p. 2)

3. se défaire d'une habitude: "... mais je suis tellement étourdie que je n'ai jamais pu *me défaire de l'habitude* de lui parler." (p. 3)
4. perdre un emploi: "...*j'ai perdu mon emploi* chez Réséda Soeurs." (p. 3)
5. en avoir un toupet: "Eh bien, vous *en avez un toupet*, vous, alors!" (p. 3)
6. s'informer de quelque chose auprès de quelqu'un: "Mme la duchesse me demande de *m'informer auprès de mademoiselle* s'il serait agréable à mademoiselle..." (p. 4)
7. servir une collation: "...s'il serait agréable à mademoiselle qu'on lui *servît une* légère *collation* en attendant le retour de Mme la duchesse." (p. 4)
8. avoir faim: "Je vous remercie, je n'*ai* pas *faim*." (p. 4)
9. faire venir quelqu'un: "Mais enfin est-ce que quelqu'un va, oui ou non, pouvoir me dire pourquoi on *m'a fait venir* ici?" (p. 5)
10. avoir hâte: "Vous devez *avoir hâte*, je le conçois, de connaître votre chambre et de vous reposer un peu des fatigues du voyage..." (p. 5)
11. se méprendre: "Mais je finis par me demander si je ne *me suis* pas *méprise*." (p. 5)
12. s'agir de: "D'autre part, je préfère vous dire tout de suite, madame, que s'il *s'agit d'*une place de femme de chambre..." (p. 6)
13. tenir à faire quelque chose: "J'ai un métier, madame...je *tiens à l'exercer*, ce métier." (p. 6)
14. arriver au train de...heures: "...mais je *suis arrivée* ici *au train de quatorze heures seize*..." (p. 6)
15. avoir l'air de: "Mon enfant, vous *avez l'air d'*avoir oublié d'être sotte." (p. 8)
16. faire un aveu à quelqu'un: "Je vais *vous faire un aveu*." (p. 8)
17. avoir l'occasion de: "Si je vous dis que je suis une vieille bonne femme qui *a eu l'occasion d'*en voir de toutes les couleurs, vous me ferez la grâce de me croire, n'est-ce pas?" (p. 8)

DEUXIÈME TABLEAU

Questions sur le texte

1. Décrivez le décor.
2. Pourquoi Amanda veut-elle s'en aller?

3. Est-ce qu'Amanda a toujours peur maintenant?
4. Pourquoi "le taxi qui ne marche pas," "le marchand de glaces qui ne vend pas de glaces," et "le parc dont on ne peut jamais sortir" sont-ils des éléments comiques?
5. Pour quelle raison la Duchesse va-t-elle expliquer ses malheurs à Amanda?
6. Comment Léocadia est-elle morte? Quelle danseuse est morte de la même façon? Dans quel roman moderne trouve-t-on une héroïne qui meurt ainsi?
7. Cet amour qu'Albert a ressenti pour Léocadia, est-il romanesque? Pourquoi?
8. Comment Albert fait-il revivre Léocadia?
9. Qu'a fait la Duchesse pour garder son neveu près d'elle?
10. Qui étaient les Albigeois et quel rôle ont-ils joué dans l'histoire de France?
11. Pourquoi la Duchesse dit-elle d'elle même: "L'extravagance est mon élément naturel"?
12. Dites ce que vous savez d'Albert.
13. Qu'attend la Duchesse pour révéler son secret à Amanda? Pourquoi?
14. Qui était le maréchal de Mac-Mahon?
15. Pourquoi Amanda doit-elle s'appuyer contre le petit obélisque?
16. Que doit-elle dire à Albert?
17. Quelle est la réaction d'Albert en voyant Amanda pour la première fois?

Liste d'expressions à retenir

1. être entouré de: "Il *est entouré de* lierre et *de* chèvrefeuille." (p. 10)
2. se moquer de: "Les oiseaux ou la ritournelle de l'orchestre *se moquent de* la frayeur d'Amanda." (p. 11)
3. s'accrocher à quelque chose: "En reculant, elle *s'accroche à quelque chose*, elle pousse un cri, car tout lui fait peur maintenant." (p. 12)
4. paraître louche: "Ce qui m'*aurait* plutôt *paru louche*, c'est si vous aviez été vraiment un marchand de glaces..." (p. 14)
5. pour peu que: "*Pour peu que* vous soyez également sensible et que mon chagrin vous tire de nouvelles larmes, voyez-moi si cela serait gai!" (p. 16)
6. mettre fin à: "Je vais *mettre fin à* l'un et *à* l'autre." (p. 16)
7. en proie à: "Ce malheureux enfant *est en proie à* la plus étrange mélancolie." (p. 16)
8. mettre quelqu'un au courant: "...j'aime mieux souffrir encore et *mettre* moi-même *cette jeune personne au courant*." (p. 17)

9. entendre parler de: "Une femme *dont* vous *avez* certainement *entendu parler* à l'époque..." (p. 17)
10. chercher à comprendre: "Enfin! je n'*ai* jamais *cherché à comprendre*." (p. 18)
11. faire une croisière: "Nous *fîmes une croisière* inoubliable..." (p. 19)
12. jeter un coup d'œil: "Je *jetais un coup d'œil* au hublot." (p. 19)
13. confier quelque chose à quelqu'un: "Ce n'est qu'en touchant le sol français et *l'ayant confié à des amis* très chers que je consentis enfin à penser un peu à moi-même..." (p. 19)
14. faire suivre quelqu'un: "Je *le fais suivre* par mes espions qui se relaient et me rapportent heure par heure tout ce qu'il fait." (p. 19)
15. se mettre à la place de quelqu'un: "Mais *mettez-vous à ma place*..." (p. 20)
16. avoir de l'esprit: "Eh bien, j'*ai de l'esprit*, c'est entendu." (p. 22)
17. faire croire quelque chose à quelqu'un: "...vous n'allez pourtant pas *me faire croire que* c'est pour mon esprit...que vous m'avez fait venir ici?" (p. 22)
18. se montrer à quelqu'un: "*Montrez-vous* seulement *à lui* appuyée à ce petit obélisque où il l'a rencontrée la première fois." (p. 28)

TROISIÈME TABLEAU

Questions sur le texte

1. Que font les deux maîtres d'hôtel chez la Duchesse?
2. Comment réagissent les deux maîtres d'hôtel en voyant Amanda?
3. Pourquoi trouvent-ils qu'Amanda ressemble à un Greuze, à un Boucher, à un Le Nain?
4. Que fait Albert tous les soirs?
5. Qu'est-ce que le chagrin selon le maître d'hôtel?
6. Combien d'orchidées la Duchesse commande-t-elle et pour quelle raison?
7. Selon la Duchesse, où se trouvait le secret de Léocadia?
8. Pourquoi le maître d'hôtel a-t-il reçu un choc en voyant entrer Léocadia pour la première fois dans la salle du "Beau Danube"?
9. Hector est-il un bon mime?

10. Décrivez les réactions de la Duchesse, d'Amanda, des deux maîtres d'hôtel en voyant arriver Albert.
11. Comment se transforment les rapports entre Albert et Amanda?
12. Albert est-il prisonnier de son rêve?
13. Pourquoi Amanda répète-t-elle: "Pouvez-vous m'indiquer le chemin de la mer"? Est-ce que la répétition de cette question a un effet hypnotique sur Albert?
14. Pourquoi Albert veut-il qu'Amanda accepte la proposition de sa tante?
15. Albert a-t-il tout consacré au culte d'un souvenir?
16. D'après Albert, la Duchesse est-elle folle?
17. Quelle est cette "épuisante lutte" dont parle Albert?
18. Pourquoi Albert voudrait-il qu'Amanda reste trois jours?

Liste d'expressions à retenir

1. se laisser dire quelque chose: "Vous serviez pourtant à Dinard — je *me le suis laissé dire* — dans un établissement éphémère..." (p. 31)
2. poser une question à quelqu'un: "Dans ce cas, permettez-moi de *vous poser une question.*" (p. 32)
3. se tromper: "Le poète *se trompe*, Hector, et vous aussi!" (p. 34)
4. être au courant de quelque chose: "Le prince *est...au courant de tout*, mais il n'a pas encore voulu recevoir mademoiselle." (p. 34)
5. se déplacer: "Comment pouvons-nous avoir oublié que Léocadia ne *se déplaçait* jamais sans une gerbe d'orchidées?" (p. 35)
6. à la longue: "Oh! vous savez, mademoiselle, *à la longue*...Moi, cela me donne des aigreurs." (p. 37)
7. se donner de l'importance: "Mais j'ai tout lieu de croire que c'est pour *se donner de l'importance.*" (p. 37)
8. pleurer à chaudes larmes: "Et il *pleurait à chaudes larmes*, il se donnait de grands coups dans la poitrine et il nous demandait pardon!" (p. 37)
9. planter un décor: "Voyons, *plantons* d'abord *notre décor.*" (p. 38)
10. être dans la note: "Elle *est* ravissante et déjà tellement *dans la note!*" (p. 38)
11. prendre l'air + adjectif: "J'essaie de *prendre l'air distingué.*" (p. 38)
12. faire le guet: "D'ailleurs, Théophile *fait le guet.*" (p. 39)
13. cligner de l'œil: "Pendant que nous déménageons les meubles, exercez-vous donc à *cligner de l'œil...*" (p. 39)
14. recevoir un choc: "...je crois me faire l'interprète fidèle de tous mes camarades en disant que nous *avons reçu un choc.*" (p. 40)

15. vouloir bien: "Mais que Madame la duchesse *veuille bien* noter qu'il n'y aura aucune intention irrespectueuse ou parodique dans ce que je vais indiquer." (p. 42)

16. donner le ton à: "Nous sommes là pour *donner le ton à* cette petite, voilà tout." (p. 42)

17. marcher sur quelqu'un: "Si madame la duchesse le permet, c'est *sur elle* que je *marcherai.*" (p. 42)

18 prendre l'habitude de: "Mais depuis hier j'ai commencé à *prendre l'habitude de* ne plus m'étonner de rien." (p. 44)

QUATRIÈME TABLEAU

Questions sur le texte

1. Amanda joue-t-elle le rôle d'une autre femme? Trouve-t-elle ce dédoublement difficile?

2. Quel est le rôle joué par l'orchestre et la musique dans cette scène?

3. Que veut dire Amanda par "le coup des fleurs"?

4. Albert est-il satisfait de la façon dont Amanda joue le rôle de Léocadia?

5. De quoi se nourrit Amanda?

6. Qui est Mallarmé? Pourquoi Amanda le lit-elle?

7. Pourquoi "ce second soir" devait-il décider de toute la vie de Léocadia et d'Albert?

8. Comment Amanda aurait-elle agi si elle était tombée amoureuse d'Albert?

9. Pourquoi appelait-on Amanda "la colle" et "la gaffe" à l'atelier?

10. Léocadia aimait-elle qu'Albert lui prenne la main? Pourquoi?

11. Comment Léocadia avait-elle exprimé son amour pour Albert?

12. Est-ce que Léocadia aimait jouer et faire jouer à Albert le rôle des amoureux mythologiques?

13. Pourquoi Léocadia n'a-t-elle jamais appelé Albert par son nom?

14. Comment Albert réagit-il quand Amanda lui dit: "Je vous aime"?

15. Pourquoi est-ce qu' "un chagrin d'amour" est "chose si belle, si précieuse"?

16. Comment Amanda voudrait-elle qu'Albert agisse?

17. Comment Albert a-t-il été élevé?

18. Quelles sont les idées d'Albert sur la vie? les classes?
19. Quel rôle Léocadia remplissait-elle dans la vie d'Albert?
20. Pourquoi à la fin de ce tableau Albert s'est-il "écroulé la tête dans ses mains" et Amanda a-t-elle sangloté "doucement sur le banc"?

Liste d'expressions à retenir

1. avoir soif: "J'*ai* si *soif...*" (p. 52)
2. se défaire de quelque chose: "C'est une habitude *dont* les vivantes *se défont* très difficilement." (p. 55)
3. avoir beau + verbe: "...j'*ai beau changer* souvent de gants..." (p. 55)
4. se mettre à parler: "De quoi avez-vous parlé, ce soir-là, avant de *vous mettre à parler* de vous? (p. 57)
5. tenir gré: "A ce propos je ne saurai jamais vous *tenir* assez *gré*, mademoiselle..." (p. 57)
6. se méfier: "Je *me méfie.*" (p. 58)
7. venir de: "Je pense que si elle m'avait dit — sur ma main — ce que vous *venez de* me dire, j'aurais été fou de bonheur ce soir-là." (p. 59)
8. faire répéter quelque chose à quelqu'un: "Toute une nuit, je *lui fais répéter Albert, mon cher Albert.*" (p. 61)
9. attaquer un morceau de musique: "A ce moment l'orchestre, qui n'avait l'air d'attendre que ce signal, *attaque un morceau* très brillant." (p. 62)
10. faire du mal à quelqu'un: "Pourquoi vous êtes-vous amusée à dire ces mots qu'elle ne m'a pas dits et qui *me faisaient du mal*, vous le saviez?" (p. 63)
11. demander pardon à quelqu'un de: "Je *vous demande pardon de* la peine que je vais vous faire..." (p. 63)
12. se faire régler: "Vous pourrez *vous faire régler* par l'intendant de ma tante dès demain matin." (p. 64)
13. faire partie de quelque chose: "Je *fais partie d'une caste* où la littérature comique recrute volontiers son personnel de niais et de gâteux." (p. 64)
14. faire admettre quelque chose: "Mais il est aussi difficile à un homme comme moi de *faire admettre qu'*il n'est pas une buse que cela peut l'être au fils des paysans..." (p. 65)
15. tenir à + infinitif quelque chose: "Je *tiens à* la *subir* honnêtement." (p. 66)
16. entendre parler de quelque chose ou de quelqu'un: "Une autre déesse *dont* vous *avez* peut-être *entendu parler?*" (p. 67)
17. cela m'est égal: "Eh bien, *cela m'est* complètement *égal* tout ce que vous venez de me dire." (p. 68)

CINQUIÈME TABLEAU

Questions sur le texte

1. Pourquoi Amanda se moque-t-elle de Léocadia?
2. Selon la Duchesse, quel était le grand défaut de Léocadia?
3. Pourquoi d'après la Duchesse, Amanda est-elle "plus forte que tout le monde ce matin"?
4. Que mange le Patron et pour quelle raison?
5. Pourquoi Amanda est-elle heureuse?
6. Albert se réveille-t-il de son rêve?
7. Albert a-t-il peur d'Amanda?
8. Pourquoi recommencent-ils à jouer le rêve?
9. Quel rôle le soleil joue-t-il dans cette scène?
10. Qu'est-ce qu'Amanda veut qu'Albert regarde?
11. Amanda ne considère plus Albert comme "une sorte de monsieur," mais comme quel animal? Que symbolise cet animal?
12. Pour quelle raison cette scène commence-t-elle et finit-elle avec la Duchesse et Hector à la chasse?
13. Sur quelle espèce d'oiseau la Duchesse a-t-elle tiré?
14. Comment la Duchesse a-t-elle tué Léocadia?
15. Pour quelle raison voulait-elle la tuer?
16. Que symbolise la mort de l'oiseau?

Liste d'expressions à retenir

1. se moquer de quelqu'un: "Je *me moque d'elle*, vous entendez, je *me moque d'elle...*" (p. 71)
2. éclater de rire: "Etirez-vous au soleil et *éclatez de rire.*" (p. 72)
3. se faire à quelque chose: "On *s'y fait*, comme à tout." (p. 73)
4. faire des affaires: "Cela me permet de *faire des* petites *affaires* supplémentaires..." (p. 74)

5. faire reconstruire: "Il *a fait reconstruire* dans son parc tous les endroits où il avait rencontré une femme autrefois." (p. 74)
6. faire un cadeau: "Je ne vous le dirai jamais, mais vous venez de me *faire un* grand *cadeau*." (p. 75)
7. avoir froid: "J'*ai* toujours un peu *froid* le matin." (p. 76)
8. faire froid: "Il *faisait froid*." (p. 76)
9. être en retard: "Mais je m'étais assoupi sur la table, j'*étais en retard*..." (p. 76)
10. remonter le courant: "...maintenant vous êtes comme un petit poisson qui veut *remonter le courant* comme tous les autres, contre toute la force de la rivière." (p. 80)
11. savoir bien: "Je *savais bien* qu'un jour vous atteindriez un oiseau." (p. 81)
12. verser une larme: "...personne ne pourra nous empêcher de la regretter et de lui *verser notre* petite *larme*." (p. 82)

QUESTIONS GENERALES

1. Quelle est l'ambiance voulue par le dramaturge?
2. La musique joue-t-elle un rôle dans la pièce?
3. Montrez pourquoi Amanda jure avec le décor.
4. Faites une analyse du caractère d'Amanda.
5. La Duchesse est-elle la femme d'un certain âge typique?
6. La Duchesse est-elle sentimentale?
7. Quelle classe le maître d'hôtel représente-t-il?
8. Pourquoi la Duchesse joue-t-elle la comédie?
9. Le rêve d'Albert devient-il réalité?
10. Quel rôle joue le rêve dans cette pièce?
11. La pièce est-elle écrite dans la tradition classique?
12. Les personnages évoluent-ils?
13. Quels sont les éléments comiques de cette pièce? tragiques? satiriques? ironiques?
14. Quels sont les dramaturges qui ont influencé Anouilh? De quelle façon cette influence se manifeste-t-elle?
15. Le rythme des scènes change-t-il à travers la pièce?
16. Quel est le thème principal de cette pièce?

VOCABULARY

In this vocabulary the following abbreviations are used:

f.—feminine
m.—masculine
pl.—plural
p.p.—past participle

In the vocabulary those words with which students can reasonably be expected to be acquainted have been omitted; the same procedure is followed with words that are identical or very nearly identical in form and meaning in the two languages, and expressions that have been explained in the footnotes.

Only the masculine form is given of adjectives which remain unchanged or simply add e to form the feminine. The feminine of other adjectives is given in full.

abasourdi dumbfounded, stunned
abattu dejected
l'**abeille** *f.* bee
l'**abîme** *m.* abyss
abîmer to ruin
l'**abord** *m.* encounter; **d'—** first, at first, first of all; **au premier —** at first
absolument absolutely

l'**accès** *m.* fit, attack
l'**accessoire** *m.* accessory
s'**accomplir** to take place
l'**accord** *m.* agreement
accorder to grant, admit, agree
s'**accrocher** to be caught
accroître, *p.p.* **accrû** to increase
acheter to buy
achever to finish
s'**achever** to end, finish, go on

adieu good-bye

admettre, *p.p.* **admis** to admit

adresser to address; — **la parole** to speak to

l'**affaire** *f.* affair, business; **les —s courantes** current business

affolé distracted

affreux, affreuse horrible

affubler to dress up

afin de in order to

agaçant irritating

agir to act

s'**agir de** to be a question of, concern

agonir to insult grossly, load with abuse

agrémenter to adorn, set off

agreste rustic

ahuri perplexed, bewildered

aider to help

l'**aigrette** *f.* tuft, aigrette

les **aigreurs** *m. pl.* stomach acidity, heartburn

d'**ailleurs** besides, incidentally; **par ailleurs** in other respects

aimable kind

aimer to like, love; — **mieux** to prefer

s'**aimer** to fall in love, be in love

ainsi thus

l'**air** *m.* look, expression, appearance; **avoir l'— de** to look like, look as though; **prendre un petit — de logique** to assume a little logic

l'**aise** *f.* comfort

ajouter to add

les **Albigeois** *m. pl.* Albigenses

l'**alcool** *m.* alcohol

alcoolique alcoholic

l'**allée** *f.* passage, entry

aller to go; l'**aller-retour** *m.* round trip ticket; — **sur** to go toward; **s'en —** to leave, go away; **allons-y** let's go

allumer to light

alors then

l'**amant** *m.* lover

l'**ambiance** *f.* atmosphere

ambulant itinerant, traveling

l'**âme** *f.* soul

l'**aménité** *f.* pleasantness

amer, amère bitter

l'**amertume** *f.* bitterness

l'**ami** *m.* friend

amorcer to begin

l'**amour** *m.* love; **faire l'—** to make love

l'**amourette** *f.* flirtation

l'**amoureux** *m.*, l'**amoureuse** *f.* lover, sweetheart

amoureux, amoureuse in love

amusant amusing

s'**amuser** to amuse oneself, have a good time

l'**an** *m.* year

les **ancêtres** *m. pl.* ancestors

ancien, ancienne ancient, former

l'**Anglais** *m.* Englishman

angoissé anguished

s'**animer** to grow angry

l'**anisette** *f.* anisette, aniseed cordial

l'**année** *f.* year

l'**anniversaire** *m.* anniversary

apercevoir *p.p.* **aperçu** to notice

s'**apercevoir** *p.p.* **s'est aperçu** to notice, realize

apeuré frightened

l'**apparence** *f.* appearance

appartenir *p.p.* **appartenu** to belong

appeler to call

s'**appeler** to be called, be named

apporter to bring

apprécié highly esteemed

apprendre, *p.p.* **appris** to teach, learn

apprivoiser to tame

approcher to approach

approximativement approximately

appuyer to lean on, rest on

âpre tart, harsh

après after; **d'—** according to; **—-demain** the day after tomorrow

l'**après-midi** *m.* afternoon

l'**arbre** *m.* tree

l'**arbuste** *m.* bush

l'**argent** *m.* money

l'**argenterie** *f.* silver

l'**argot** *m.* slang

arracher to snatch

s'**arranger** to make arrangements, compound

arrêter to stop

s'**arrêter** to stop

l'**arrivée** *f.* arrival

arriver to happen

l'**arrosage** *m.* watering, sprinkling

l'**artifice** *m.* craft, cunning; **le feu d'—** fireworks

l'**ascendant** *m.* influence

s'**asseoir,** *p.p.* **s'est assis** to sit down

assez enough

l'**assiette** *f.* plate

assis seated

l'**assortiment** *m.* sampling, assortment

assoupir to doze

l'**atelier** *m.* workshop

l'**attache** *f.* connection

attaquer to attack, strike up, begin; **— la reprise** to strike up the refrain

atteindre, *p.p.* **atteint** to reach, hit

attendre to wait, wait for

s'**attendre à** to expect

atténuer to attenuate, mitigate, enfeeble, make thin

atterrer to overwhelm, make dejected

l'**attirance** *f.* attraction

attirer to attract, draw

l'**attrait** *m.* attraction

l'**aube** *f.* dawn

l'**auberge** *f.* inn

aucun no, not any, any; **—e espèce d'importance** it doesn't matter at all

aujourd'hui today

auprès near; **s'informer — de** to inquire about

l'**aurore** *f.* dawn

aussi also

aussitôt immediately

autant just as well; **—...—** as... that's how

autour around, about

autre other; **d'— part** on the other hand

l'**autre** *m.* the other one

autrefois formerly

avaler to swallow; **— d'un trait** to swallow all in one gulp

d'avance beforehand; **en avance** early, beforehand

avancer to advance, be late; **— droit sur** to stride right up to

avant before, ahead; **un pas en — ** a step forward

l'**avenir** *m.* future

l'**aventure** *f.* experience

avertir to warn

l'**aveu** *m.* admission, confession, avowal

avoir to have; **— beau** even though, to do something in vain; **il y a** ago

avouer to admit

le **bagnard** convict, prisoner

baguenoder to waste one's time

se **baigner** to bathe

bâiller to yawn

baisser to lower, dim

balbutier to stammer, stutter

le **balcon** balcony

le **banc** bench

la **banquette** bench
la **barrière** gate
le **bas** stocking
  bas, basse low
la **basilique** church
la **basque** tail
le **bateau** boat, ship
  battre to beat
le **bavardage** prattle, babbling
  bavarder to chat, babble
  beau, belle handsome, beautiful;
    avoir beau even though, to do
    something in vain; **reprendre**
    de plus belle to begin again
    with renewed ardor
  beaucoup much
le **beau-frère** brother-in-law
  bénit blessed
le **besoin** need; **au —** if need be;
    avoir — to need
  bête stupid
la **bête** animal, beast
le **beurre** butter
  bien well, even, indeed, good;
    eh — well; **ou —** or else;
    — entendu of course, cer-
    tainly; **— sûr** of course, cer-
    tainly; **si — que** so much so
    that; **regarder — en face** to
    look (someone) straight in the
    face
  bientôt soon
le **bijou** jewel, gem
  blanc, blanche white
la **blancheur** light, whiteness
  blesser to wound, hurt
  bleu blue
  boire to drink
le **bois** woods
la **boîte** box; **— de nuit** night club
  bon, bonne good; **c'est bon** all
    right; **être pour de bon**
    to be the real thing; **une**
    bonne fois once for all
le **bonbon** candy
  bondir to leap

le **bonheur** happiness
  bonnement simply
le **bord** edge
la **borne** landmark; **la — kilo-**
    métrique milestone
  borné limited
la **bouche** mouth
le **bouchon** cork
  boudeur, boudeuse sulky, sullen
le **boudoir** lady's dressing room
la **boue** mud
la **bouffée** whiff
la **bouffonerie** clownery
  bouger to move
la **bougie** candle
le **bougre** blackguard
la **boule** ball; **jouer aux —s** to
    bowl
la **boulette** bullet
  bouleverser to upset, agitate
la **bourse** scholarship
le **bout** bit, end; **un — de rôle**
    bit part; **à — de forces** ex-
    hausted; **au—de** at the end of;
    être au — de son rouleau
    to be at the end of one's tether
la **bouteille** bottle
la **boutique** shop, store
la **branche** branch, bough of a
    tree, section, division; **avoir**
    de la — to look aristocratic,
    look distinguished
  brandir to brandish
le **bras** arm
le **breuvage** brew
les **bribes** *f. pl.* scraps, bits
  brillamment brilliantly
le **brin** blade
  brisé exhausted
  broder to embroider
le **brouhaha** uproar, commotion
le **brouillard** fog
le **bruissement** rustling noise
le **bruit** noise
  brûler to burn
  brusquement suddenly

le **bûcher** stake
la **buse** blockhead

ça that
le **cacodylate** cacodyl, a poisonous ill-smelling liquid
le **cadeau** present, gift
cadet, cadette younger, junior
le **café** coffee; **le — au lait** coffee with milk
le **caillou** pebble
le **cal** callus
le **calicot** employee in a novelty shop
calmement calmly
le **camarade** comrade, friend
la **campagne** country
la **canardière** duck-gun
le **caniche** poodle
la **cantatrice** singer
le **caoutchouc** rubber
la **cape** cape
le **capot** hood
car for, because
le **caractère** personality
la **carnassière** game-bag
le **carrefour** crossroads
la **carte** card; **— spéciale** special label
le **carton** cardboard
le **cas** case; **en tout —** in any case
casanier, casanière stay-at-home
casser to break
la **cause** motive; **pour —** for a very good reason
cela that; **c'est —** that's right; **c'est bien —** that's right all right
cent one hundred
cependant however
cérémonieusement ceremoniously
cérémonieux, cérémonieuse ceremonious
certain certain; **d'un — âge** elderly

certainement certainly
cesser to stop, cease
chacun each one
le **chagrin** grief, concern
la **chair** flesh; **— à pâté** mincemeat; **en — et en os** in the flesh
la **chaise** chair
la **chaleur** warmth; **sans —** unenthusiastically
chaleureusement warmly
la **chambre** bedroom
la **chance** luck; **avoir de la —** to be lucky
chanter to sing; **nous avons bien chanté tout cela** we've been through all that many times over
chantonner to hum
le **chapeau** hat
le **chapelet** rosary
chaque each
se **charger de** to take charge of
charmant charming
la **chasse** hunt, hunting; **le costume de —** hunting garb
chasser to dismiss, hunt
le **château** castle
chaud warm, hot; **pleurer à —es larmes** to weep bitter tears
le **chauffage** heat
se **chauffer** to warm oneself
le **chef** head; **le — de gare** station master
le **chef d'œuvre** masterpiece
le **chemin** path
cher, chère dear
chercher to get, try, look for; **— à** to try
le **cheval**, *pl.* les **chevaux** horse
le **cheveu**, *pl.* les **cheveux** hair
le **chèvrefeuille** honeysuckle
chevroter to quiver, tremble
chez at the home of, in; **— lui** at home, in his own house

le **chien** dog
le **chiffon** rag, scrap
le **choc** shock
  choisir to choose
le **choix** choice
la **chose** thing; **peu de — près** very nearly
le **chrysanthème** chrysanthemum
le **ciel** sky
le **cierge** candle
  cingler to lash, chastise
  cinq five
  cinquième fifth
  citer to quote
le **citron** lemon
la **citrouille** pumpkin
  clair clear, transparent; **rendre — to clarify
la **clairière** glade
  claquer to slam, snap
la **clef** key
  cligner to wink, blink; **— de l'œil** to wink, blink
le **clin d'œil** wink, blink
le **clou** nail
  clouer to nail; **cloué sur place** nailed to the spot; **être cloué au sol** to be nailed to the ground, be stunned
  cocasse comical
le **cœur** heart; **par —** by heart
se **cogner** to bump into
le **coiffeur** barber, hairdresser
le **coin** corner
le **col** collar, neck
la **colère** anger
la **collation** meal
la **colle** glue, mucilage
le **collectionneur,** la **collectionneuse** collector
  combler to gratify
  commander to order
  commanditer to finance
  comme as
  commencer to begin

  comment what, what do you mean
  commodément conveniently
  complice helpful
le **compotier** compote dish
  comprendre, *p.p.* **compris** to understand
  compromettre, *p.p.* **compromis** to commit
le **compte** account; **cela fera juste le —** that will make it even
  compter to plan
  concevoir, *p.p.* **conçu** to imagine
le **conciliabule** meeting, gathering
  conclure to conclude
  conduire to drive
la **confiance** trust, confidence
  confiant confident
la **confidence** secret; **faire une — à quelqu'un** to tell someone a secret
  confier to entrust, confide
  confondre to confuse
le **confort** comfort
le **confrère** colleague
la **confusion** embarrassment
le **congé** holiday, leave
  congédier to fire, dismiss
la **connaissance** knowledge; **faire la — de** to meet
  connaître, *p.p.* **connu** to know
  consacrer to dedicate
le **conseil** advice; **le — de bonne femme** old wives' tale
  consentir to consent
  consigner to confine
la **constatation** declaration, statement
  constater to ascertain
  constiper to constipate
le **conte** tale; **le — de fées** fairy tale
la **contenance** countenance, expression
  content happy, pleased

se **contenter** to satisfy oneself, be satisfied

contraire contrary; **au —** on the contrary; **de —** opposite

contre against

convoquer to summon

la **corolle** corolla

le **cortège** train, retinue, suite

côte-à-côte side by side

le **côté** side, direction, aspect; **à — de** near, in comparison with

coter to price

coucher to go to sleep

se **coucher** to go to bed

coudre, *p.p.* **cousu** to sew

la **couleur** color; **en voir de toutes les —s** to have seen everything

le **coup** blow; **le — d'éclat** brilliant exploit, striking act; **le — de fusil** gunshot; **le — d'œil** glance; **entrer en — de vent** to enter in a whirlwind; **faire le —** to do the deed; **tout d'un —** suddenly

couper to cut, interrupt

se **couper** to interrupt oneself

courant current

le **courant** current, stream, tide; **être au — de** to be informed about; **mettre au — de** to explain, inform; **remonter le —** to go upstream

le **coureur** cyclist, bicycle racer

courir, *p.p.* **couru** to run

la **course** running, racing

court short

courtois courteous

le **coussin** cushion

craindre, *p.p.* **craint** to fear

la **crainte** fear; **avoir —** to fear, be afraid

la **crampe** cramp

se **cramponner** to cling to

la **cravate** tie

le **crayon** pencil

le **crépuscule** twilight

le **cri** shout, scream, cry; **dans un—** shouting

crier to shout

croire, *p.p.* **cru** to think, believe

la **croisière** cruise

croître, *p.p.* **crû** to grow

la **crotte** (slang) expression of disgust

la **cuisine** kitchen

le **cygne** swan

la **dame** lady; **messieurs—s** ladies and gentlemen

la **danseuse** dancer

se **débarasser** to take one's coat off

débattre to discuss, argue

déborder to protrude

debout standing

le **début** beginning, outset

décédé deceased

la **déchéance** disgrace, fall

décider to decide, determine

décontenancé abashed

le **décor** stage setting

découvrir, *p.p.* **découvert** to discover

se **découvrir**, to take one's hat off

décrire, *p.p.* **décrit** to describe

dedans in, inside

le **dédoublement** impersonation

la **déesse** goddess

défaire, *p.p.* **défait** to defeat, undo

se **défaire**, to get rid of

défait undone

le **défaut** fault; **à son —** in her absence, in lieu of

déformer to disfigure

le **dégoût** disgust

déguiser to disguise

déjà already

déjeuner to lunch

le **déjeuner** lunch

délavé faded

demain tomorrow

la demande request

demander to ask; — pardon to beg someone's pardon

se demander to wonder

la démarche gait, bearing

déménager to remove

démodé old-fashioned

la demoiselle young lady; la — de compagnie companion

démolir to demolish

démonté baffled

démonter to throw off one's guard

la dent tooth

la dentelle lace

le départ departure; donner le — to give the signal to start

dépasser to get the better of, show

dépenser to spend

dépiter to vex, spite

déplacer to remove, move

se déplacer to go out

le déploiement display

depuis since, for; — longtemps for a long time

dernier, dernière last

dérouler to unfold

derrière behind

désabusé undeceived

désarçonné baffled

le désarroi confusion

descendre to descend

la descente descent; la — du lit getting out of bed

désigner to point to

désintéressément disinterestedly

le désordre disorder

desservir to clear

dessus on top of

déteindre, *p.p.* déteint to rub off

se détendre to relax

détonner to be discordant, jar

se détourner to turn, turn away

deuxième second

devant in front of; marcher droit — soi to walk straight ahead

devenir, *p.p.* devenu to become

deviner to guess

devoir, *p.p.* dû must

dévorer to devour

le diamant diamond

le Dieu God; — soit loué heaven be praised, thank heaven

difficile difficult

difficilement with difficulty

digne dignified

dignement with dignity

le dimanche Sunday

dire to say; vouloir — to mean

diriger to direct, conduct

se diriger to go towards

disparaître, *p.p.* disparu to disappear

dispenser to dispense, exempt

se disposer à to be about to

dissimuler to conceal, hide, keep secret

distingué distinguished

distribuer to distribute, divide

dix ten

dix-sept seventeen

le doigt finger

le domicile home, residence

le don gift, talent

donc then, so

donner to give; — le ton to set the style

se donner to give oneself

dont of which, from which, whose

dormir to sleep

le dos back

doucement slowly, softly, gently, sweetly

la douleur pain

le doute doubt; sans — undoubtedly

douter to doubt

se **douter** to suspect
  doux, douce sweet, pleasant; **en douce** discreetly
la **douzaine** dozen
  douze twelve
le **dramaturge** dramatist
le **drame** drama
se **dresser** to stand up
la **drogue** dope
  droit straight; **avancer — sur** to stride right up to; **marcher — devant soi** to walk straight ahead; **se tenir —** to stand straight
le **droit** right
  drôle strange, funny; **quelle — d'idée** what a strange idea
le **duc** duke
  dur hard
l'**eau** *f.* water
  écarter to force aside
  échapper to escape
l'**écharpe** *f.* scarf
  éclairer to light
l'**éclat** *m.* brilliance; **le coup d'—** brilliant exploit, striking act
  éclatant bright, sparkling
  éclater to burst out; **— en sanglots** to burst into sobs; **— de rire** to burst out laughing
  écœuré sickened, disgusted
les **économies** *f. pl.* savings
  écouter to listen
  écrasant crushing, overpowering
s'**écrier** to cry out, exclaim
s'**écrouler** to fall down
  effacer to erase, efface
  effectuer to execute, carry out
l'**effet** *m.* effect; **en —** indeed
  effrayer to frighten
  égal same; **cela m'est —** I don't care
  également also, likewise, as
  égaré distracted
s'**égosiller** to crow loudly

l'**élevage** *m.* breeding
  élever to raise
s'**éloigner** to ride away, walk away
  embrasser to kiss
s'**embrasser** to embrace, kiss
  embrouiller to entangle, muddle
l'**émeraude** *f.* emerald
  émouvoir, *p.p.* **ému** to move
  empêcher to prevent
s'**empêcher de** to refrain from
l'**emploi** *m.* job
  employer to employ, spend
  empoigner to take hold of, grab
  emporter to carry away, take away, get the better of, win over
  emprisonné imprisoned
  encore still, again, another, yet, more
s'**endormir** to fall asleep
l'**endroit** *m.* place
l'**énergumène** *m. and f.* fanatic
l'**enfant** *m. and f.* child
  enfin finally, well
s'**enfoncer** to go deep into, plunge into
  engager to hire, put under an obligation, involve
s'**engouffrer** to be swallowed up
  engraisser to fatten up
  enlever to take away
l'**ennui** *m.* boredom
s'**ennuyer** to be bored
  ennuyeux, ennuyeuse tedious, dull
  énorme enormous
l'**enquête** *f.* investigation
  enraciné rooted
  enregistrer to record
l'**enseigne** *f.* sign
  ensemble together
  ensuite then, afterwards
  entamer to break into, encroach upon

entendre to understand, hear; **bien entendu** of course; **— parler** to hear about, hear talk; **s'— avec** to go into business with
enterrer to bury
enthousiasmé enthusiastic
entier, entière entire, all; **tout entier** completely
entièrement completely
entouré surrounded, overgrown
entraîné carried away
entr'apercevoir, *p.p.* **entr'aperçu** to catch a glimpse of
entre among, between; **— autre** among others; **— nous** between you and me
l'entrée *f.* entrance
entreprendre, *p.p.* **entrepris** to undertake
entrer to enter
entrouvert ajar
s'entrouvrir, *p.p.* **s'entrouvert** to begin to open
l'envie *f.* desire; **avoir — de** to want to
les **environs** *m. pl.* neighborhood
l'épaule *f.* shoulder; **hausser les —s** to shrug one's shoulders
l'épingle *f.* pin
éplucher to peel
éponger to sponge
l'époque *f.* period, epoch
épouser to marry
épouvanté frightened
l'épreuve *f.* test, ordeal
épuisant exhausting
épuisé exhausted
l'escale *f.* port
l'espèce *f.* type; **aucune — d'importance** no importance whatsoever
espérer to hope
l'espion *m.* spy
l'espoir *m.* hope

l'esprit *m.* wit, spirit, mind
essayer to try
essuyer to wipe, dry
l'estomac *m.* stomach
l'estrade *f.* platform, stage
l'établissement *m.* establishment
l'état-major *m.* command, directing staff
l'été *m.* summer
éteindre to put out
étendre to extend, lay out; **— la main** to raise one's hand
s'étirer to stretch out
étonnant astounding
l'étonnement *m.* surprise
étonner to surprise, astonish; **mi-étonné** half-astonished
s'étonner to be surprised, be astonished
étouffer to stifle
étourdi dizzy
étourdiment dizzily
étrange strange
étrangement strangely
l'étranger *m.*, **l'étrangère** *f.* stranger
s'étrangler to strangle oneself
l'être *m.* being
s'évertuer to strive
évidemment evidently
évoluer to evolve
évoquer to evoke
exactement exactly
s'exclamer to exclaim
l'exemple *m.* example; **par —** for example
exercé expert
exercer to practice
s'exercer to practice
exigeant demanding
l'explication *f.* explanation
expliquer to explain
exploser to explode
exprès on purpose
exprimer to express
extasié enraptured

fabriquer to manufacture

la **face** face; **le — à main** lorgnette; **en — de** opposite; **regarder bien en —** to look someone straight in the face

la **facette** facet

facile easy

la **façon** way

la **facture** bill

faillir *plus infinitive* almost

la **faillite** bankruptcy

la **faim** hunger; **avoir —** to be hungry

faire to do, make; **— venir** to send for; **comment se fait-il?** how come?; **rien n'y fait** nothing works; **se — to** happen; **se — à** to become accustomed to

faisandé seasoned

le **fait** fact; **au —** in fact; **en — de** instead of

falloir, *p.p.* **fallu** must; **il faut** it is necessary, one must

la **fanfreluche** bauble

fantaisiste fanciful

le **fantôme** phantom

le **fardeau** burden

les **farineux** *m. pl.* starchy foods

le **farniente** idleness

fatidique fateful

fatigant tiring

le **faubourg** suburb

faussement falsely, pseudo

la **faute** mistake

le **fauteuil** armchair

faux, fausse false; **la fausse maigre** a deceivingly thin woman

la **fée** fairy; **le conte de —s** fairy tale

la **femme** woman; **la — de chambre** chambermaid; **la — de ménage** cleaning woman

la **fenêtre** window

le **fer** sword; **remuer le — dans la plaie** to exacerbate a wound

ferme constant, strong

fermé closed

se **fermer** to close

la **fesse** buttock

la **fête** celebration

le **feu** fire; **le — d'artifice** fireworks

la **feuille** leaf

fictif, fictive fictitious

fidèle faithful

fier, fière proud

se **figurer** to imagine

le **fil** thread

le **filet** string; **un — de voix** a small, thin voice

la **fille** daughter

la **fillette** lass, young girl

le **fils** son

fin delicate

la **fin** end; **mettre — à** to end, put an end to

finir par to end up by, finally

fixer to settle, stare at

flagrant gross; **en — délit** in the act

le **flamant** flamingo

fléchir to bend, give way

la **fleur** flower

la **fleuriste** flower vendor

florissant flourishing, blooming

le **flouflou** vulgar chorus

la **fois** time; **une bonne —** once for all

la **folie** insanity

la **folle** madwoman

follement madly, very, extremely

foncièrement completely

le **fond** far end, extremity, corner, back; **au — de** deep down, at the bottom of

fondre to melt

le **fonds** fund, property

fort hard, strong

le **fossile** fossil

fou, folle mad

la **fourrure** fur
la **fraîcheur** coolness, freshness
frais, fraîche fresh
franc, franche frank
le **franc-maçon** freemason
franchir to go beyond, cross
frappant striking
frappé struck
la **frayeur** fear
fredonner to hum
le **frémissement** quivering, trembling
le **frère** brother
le **frisson** shudder; **avoir du —** to shudder
frissonner to shudder
frivole frivolous
le **froid** cold
froidement coldly
froisser to crumple
frôler to brush past
le **front** forehead
la **frontière** frontier
fuir to escape, flee
la **fumée** smoke
funambulesque grotesque
furieux, furieuse furious
furtif, furtive stealthy, secret, furtive
le **fusil** gun

gâcher to ruin
la **gaffe** blunder, faux-pas
gagner to win, win over
gai cheerful, gay, happy
la **galerie** spectators
le **gamin** youngster, urchin
la **ganache** lout, dolt
le **gant** glove
ganter to glove
le **garçon** waiter, boy
le **garde-chasse** gamekeeper
garder to keep
la **gare** railroad station; **le chef de — ** station master
le **gargarisme** gargle, gargling

gaspiller to waste
gastralgique pertaining to nervous stomach
le **gâteau** cake
le **gâteux** idiot
la **gauche** left
le **gazouillis** warbling
gémir to groan
la **gêne** embarrassment
gêné embarrassed
le **génie** genius
le **genre** type; **avoir un —** to be the type; **un morceau de —** a fashionable piece of music
les **gens** *m. and f. pl.* people
gentil, gentille nice
gentiment kindly
la **gérance** management
la **gerbe** sheaf
le **geste** gesture
la **girouette** weathercock, giddy and flighty person
la **glace** ice cream, mirror; **le marchand de —s** ice cream man
glacé iced, frozen
glacial icy
glisser to slip, slide
goguenard bantering, jeering, scoffing; **mi-—** half-jeeringly
le **goitreux** idiot
la **gorge** throat
la **gorgée** gulp, mouthful
la **grâce** favor; **— à** thanks to
grand great, big
le **grand-duc** grand duke
le **grand-père** grandfather
gras, grasse greasy
gravement seriously, gravely
la **gravité** seriousness
le **gré** will, wish; **savoir —** to be grateful
griller to roast; **— d'envie** to be burning with desire
grinçant jarring
gris grey

la **grisette** working girl
grommeler to mutter
gros, grosse big, fat
la **guerre** war
le **guet** watch; **faire le —** to be on the lookout
le **guet-apens** trap
guetter to watch
la **guinguette** roadside inn
habile clever
habiller to dress
l'**habit** *m.* clothes
l'**habitude** *f.* habit; **avoir pour —** to be in the habit of; **prendre l'—** to cultivate the habit
l'**habitué** *m.* habitué, frequenter
habituellement usually
la **hanche** hip
le **hasard** chance; **au —** at random
la **hâte** haste; **avoir —** to be in a hurry
hausser to lift; **— les épaules** to shrug one's shoulders
haut high
hautain haughty
hein (interjection) what do you say to that
l'**herbe** *f.* grass
le **héron** heron
hésiter to hesitate
l'**heure** *f.* hour; **tout à l'—** a while ago, in a little while
heureux, heureuse happy
heurter to bump against
hier yesterday; **— soir** last evening
l'**hilarité** *f.* hilarity, mirth, laughter
l'**histoire** *f.* story
le **hobereau** country squire
l'**homme** *m.* man
honnête honest
honnêtement honestly
la **honte** shame; **avoir —** to be ashamed
l'**horaire** *m.* timetable

hôtelier, hôtelière host, hostess (of an inn)
le **hublot** porthole
huit eight
humblement humbly
l'**humeur** *f.* humor; **avec —** peevishly

ici here
l'**idée** *f.* idea
ignoble vile
imiter to imitate
immanquablement infallibly
immatériel, immatérielle immaterial, incorporeal
n'importe qui anybody at all
l'**imprévu** *m.* the unforeseen
inaccoutumé unaccustomed
inachevé unfinished
inattendu unexpected
incapable impotent
incarner to incarnate, embody
incertain uncertain
incessamment immediately
s'incliner to bow
inconsciemment unconsciously
l'**inconvénient** *m.* disadvantage
incroyable unbelievable
l'**inde** *f.* India
indiquer to indicate
indiscutable incontestable
infini infinite
infiniment infinitely
l'**infirmière-major** *f.* military nurse of officer's rank
ingénu frank, open
ininterrompu uninterrupted
injuste unjust
inoubliable unforgettable
inquiet, inquiète disturbed
inquiéter to worry, disturb
s'inscrire to enroll, register
insensé mad, insane
insupportable unbearable
l'**intendant** *m.* steward, comptroller

interdit abashed, confused
l'**intérieur** *m.* interior
interloqué disconcerted, nonplussed
l'**interprète** *m. and f.* interpreter
interrompre to interrupt
intrigant adventurous
introduire to introduce
inutile useless
l'**invité** *m.* guest
irrespectueux, irrespectueuse disrespectful
ivrogne drunken

jamais ever
la **jambe** leg
la **jaquette** morning coat
le **jardin** garden
jeter to throw, cast, call out to; — **un coup d'œil** to glance
se **jeter** to throw oneself
le **jeu** game
jeune young
la **jeunesse** youth
la **joie** joy; **mettre en** — to strike someone funny
joli handsome, pretty
la **joue** cheek
jouer to play, act
le **jour** day; **de nos** —**s** nowadays
le **journal,** *pl.* les **journaux** newspaper
la **journée** day; **toute la** — all day long
jurer to swear, clash
jusqu'à until, to the point of, so far as
juste right
justement indeed, in fact
la **justesse** accuracy, precision

là there
lâche shameful, weak
lâcher to release, let go
laid ugly
laisser to leave, let, allow, leave alone; — **tomber** to drop

le **lait** milk; **le café au** — coffee with milk
lamentable sad
lancer to call out, launch; — **dans une plainte** to begin wailing
la **langue** tongue, language
le **lapin** rabbit
le **larbin** (slang) valet, lackey
la **larme** tear; **pleurer à chaudes** —**s** to weep bitter tears
las, lasse weary
la **leçon** lesson
léger, légère light
le **lendemain** the following day
lever to raise
se **lever** to stand up, rise, get up
la **lèvre** lip
le **lévrier** greyhound
libre free
le **lierre** ivy
le **lieu** place; **au** — **de** instead of; **avoir tout** — **de** to have every reason to
la **limonade** lemonade
lire to read
le **lit** bed
le **lit-cage** folding cot
le **livre** book
loger to live
loin far; **au** — into the distance; — **de moi** far be it from me
le **loisir** leisure
long, longue long; **à la longue** in the long run
longtemps a long time; **depuis** — for a long time; **il y a** —**que** for a long time
le **lorgnon** monocle
lorsque when
le **lotissement** allotment
louche suspicious, shady
louer to praise, rent; **Dieu soit loué** heaven be praised, thank heaven
lourd heavy

la **lueur** gleam, glimmer; **à la —
de** by the light of
la **lumière** light
le **lustre** chandelier
la **lutte** struggle
le **luxe** luxury

la **mâchoire** jaw
mâchonner to munch
magnifique magnificent
maigre thin; **la fausse —**
deceivingly thin woman
maigrir to get thin
la **maille** stitch; **sauter les —s des
bas** to get runs in stockings
la **main** hand
maintenant now
la **mairie** town hall
la **maison** house; **la — de modes**
millinery establishment
le **maître** master; **le — d'hôtel**
headwaiter
la **maîtresse** mistress
maîtriser to control
le **mal** hardship, inconvenience;
avoir — to suffer; **ce n'était
pas —** it wasn't bad; **se
donner un — de chien** to
take great pains
la **maladresse** awkwardness
maladroit awkward
maladroitement awkwardly
maléfique hurtful, malignant
malgré in spite of
malhabile unskillful, awkward
le **malheur** misfortune
malheureusement unfortunate-
ly
malheureux, malheureuse
unhappy, unfortunate
la **m'amour** coaxing, wheedling
la **mandarine** tangerine
le **mangeur**, la **mangeuse** eater
la **manière** manner
la **manivelle** crank; **donner un
tour de —** to crank

manquer to lack
le **marchand** dealer; **le — de
glaces** ice cream man
le **marché** bargain, agreement;
par-dessus le — into the
bargain
marcher to walk, go; **— sur** to
walk towards
marrant (slang) funny
le **martyre** martyrdom
la **mascarade** masquerade
le **matin** morning, in the morning
mauvais bad
le **mécanicien** mechanic
mécaniquement mechanically
la **méchanceté** nastiness
méchant nasty
méconnaître, *p.p.* **méconnu** to
disown, misjudge
la **médaille** medal
le **médecin** physician
médusé stupefied
se **méfier** to distrust
le **meilleur** best
mélanger to mix
se **mêler de** to interfere, get mixed
up in, blend
même even, same, very, itself;
de — que just as; **quand —**
really, all the same, nevertheless; **tout de —** however
la **mémoire** memory
mentir to lie
le **menu** minute detail; **par le —**
in great detail
méprendre to be mistaken
le **mépris** scorn
méprisant scornful
la **mer** ocean
la **merde** excrement
merveilleux, merveilleuse
marvelous
messieurs-dames ladies and
gentlemen
la **mesure** measure, gauge; **à —
que** as

le **métier** trade

le **mètre** meter

le **métropolitain** subway

mettre, *p.p.* **mis** to put; **mettons** let's say; — **au courant** to explain, inform, bring up to date; — **fin à** to put an end to

se **mettre** to place oneself; se — **à** to begin; se — **en colère** to get angry

le **meuble** furniture

la **midinette** (slang) working girl

le **mien**, la **mienne** mine

mieux better; **aimer** — to prefer

le **mieux** the best

le **milieu** middle; **au** — **de** in the midst of

mille thousand

le **mime** mimic

misérable wretched

les **modes** *f. pl.* millinery; **la maison de** — millinery establishment

la **modiste** milliner

le **moindre** least

moins less; **au** — at least

la **moitié** half

le **monceau** pile

le **monde** world; **tout le** — everyone

mondial worldwide

monter to go up; **faire** — to have sent up

montrer to show, point to

se **montrer** to show oneself

se **moquer de** to make fun of

moqueur, moqueuse mocking

le **morceau** piece; **un** — **de genre** a fashionable piece of music

mort dead

la **mort** death

la **morte** dead woman

le **mot** word

mouiller to wet

mouler to grind

mourir, *p.p.* **mort** to die; — **de peur** to die of fright; — **de soif** to die of thirst

le **mouvement** movement

muet, muette silent

myope nearsighted

le **mystère** mystery

naître, *p.p.* **né** to begin, be born

narquois cunning, sly

la **natte** braid

le **naturel** naturalness, ease

négligemment unheedingly, negligently

nerveusement nervously

nerveux, nerveuse nervous

net, nette clear

neuf nine

la **neurasthénie** nervous exhaustion

le **neveu** nephew

le **nez** nose; **sous le** — right under one's nose

ni...ni neither...nor; — **les uns** — **les autres** neither you nor they

niais silly

n'importe qui anybody at all

le **nœud** knot, bow

le **noir** dark, blackness

la **note** note; **être dans la** — to do exactly as one is supposed to

noter to take note

nouer to tie, knot

nourrir to nourish, eat

nouveau, nouvelle new

le **nouveau** new; **voilà du** — that's interesting

la **nouvelle** news

nu naked, bare; **pieds** —s barefoot

le **nuage** cloud

la **nuit** night; **à la** — **tombante** at nightfall

la **nuque** nape

obliger to force
obséquieux, obséquieuse obsequious
l'occasion *f.* chance, opportunity
l'odeur *f.* odor
l'œil *m.* eye; **l'— dans l'—** staring each other straight in in the eye
l'œuf *m.* egg
offrir to offer
l'oignon *m.* onion; **c'est pas mes —s** it's none of my business
l'oiseau *m.* bird
oisif, oisive idle
l'ombre *f.* shadow, darkness
l'orchidée *f.* orchid
l'ordonnance *f.* order, arrangement
l'ordre *m.* order; **de tout premier —** absolutely first class
l'oreille *f.* ear; **rebattre les —s à** to make someone sick of hearing something
original, *pl.* **originaux** original, odd, eccentric
l'os *m.* bone; **en chair et en —** in the flesh
oser to dare
où where, in which
oublié forgotten
oublier to forget
s'oublier to forget oneself
l'outil *m.* tool, instrument
outré outraged
l'ouvrage *m.* work; **l'— fortifié** fortification
l'ouvreuse *f.* theatre attendant
l'ouvrier *m.*, **l'ouvrière** *f.* workman, artisan
ouvrir to open
l'oxygénée *f.* oxygenated water

le pain bread
le palais palace; **le Palais de Glace** ice-skating rink
pâlir to grow pale

le paltoquet lout
le pantalon bloomers
le papillon butterfly; **le — nocturne** moth
la pâquerette daisy
paraître, *p.p.* **paru** to seem, appear
le parc park
parce que because
parcimonieusement parsimoniously
par-dessus above; **— le marché** into the bargain
pareil, pareille similar, equal
parer to ward off; **— au plus pressé** to ward off the immediate danger
paresseusement lazily
parfait perfect
parfaitement perfectly
parfois sometimes
parisien, parisienne Parisian
la Parisienne Parisian woman
parler to speak; **entendre —** to hear about
parmi among
parodique parodying, ridiculing
la part share, part; **d'autre —** on the other hand, from somewhere else
le parti part; **faire — de** to take part in, be part of
particulier, particulière particular, special, extraordinary
partir to leave
partout everywhere
parvenir to succeed
le pas step; **un — en avant** a step forward
le passage passage; **sur mon —** when I pass by
passer to spend, pass; **j'en passe** not to mention the others
se passer to happen
passionnant fascinating
le patin skate

le **patron** owner, proprietor
la **patte** paw
   pauvre poor
le **pavot** poppy
le **pays** country, region
le **paysage** setting, countryside
le **paysan** peasant
la **peau** skin, flesh
le **peine** trouble, effort; **faire de la — à** to hurt
le **peintre** painter
   pelotonné wrapped up
   pencher to bend; **— la tête** to tilt one's head
   pendant during, for; **— que** while
   pénétrer to enter
   pénible painful
   péniblement painfully
la **pénombre** semi-darkness
la **pensée** thought
   penser to think
   perdre to lose
se **perdre** to get lost
le **père** father
   permettre, *p.p.* **permis** to permit
se **permettre,** to take the liberty, permit oneself
   ne...personne no one
   peser to weigh
   petit little
la **petite** little girl
le **peu** little; **— de chose près** very nearly; **pour — que** if in the least
le **peuple** the masses
la **peur** fear; **avoir — to be afraid; faire — à** to frighten; **mourir de —** to die of fright
   peut-être perhaps
le **phénol** carbolic acid
la **phrase** sentence
la **pièce** play
le **pied** foot; **—s nus** barefoot; **sur la pointe des —s** on tiptoe

la **pierre** stone
le **pinceau** brush
le **piquant** sting, sharpness; **avoir du —** to be sharp
   piquer to prick, arouse someone's curiosity
le **pire** worst
   pis worse
   piteux, piteuse woeful
la **pitié** pity
la **place** job, work, room, space, place, spot
la **plaie** wound; **remuer le fer dans la —** to exacerbate a wound
se **plaindre** to complain
la **plainte** lament, wail
se **plaire** to like each other
   plaisant ridiculous, absurd
le **plaisir** pleasure
   planter to set up
   plein full
   pleurer to cry; **— à chaudes larmes** to weep bitter tears
   pleurnicher to whimper, whine, snivel
le **pli** pucker
le **plomb** lead
la **plume** feather
la **plupart** most
   plus more; **de — en —** more and more; **en —** extra; **ne...—** no longer, any more; **non —** either
   plutôt rather
la **poigne** grasp, grip
le **point** point; **un bon —** good for you, that's fine, a good mark
la **pointe** tip; **sur la — des pieds** on tiptoe
le **poisson** fish
la **poitrine** chest
le **pont** bridge
la **porte** door
la **porte-fenêtre** French door
   porter to wear; carry, bring

la **portière** door
posément sedately
poser to set down, place; — **une question** to ask a question
la **poule** hen
le **pourboire** tip
pourquoi why
pourtant but, nevertheless, still
pousser to push, grow; — **un cri** to utter a cry
pouvoir, *p.p.* **pu** to be able; **n'en** — **plus** to be worn out
précédent preceding
précieux, précieuse invaluable
précipitamment quickly
précipiter to rush
précisément precisely
le **préjugé** prejudice
premier, première first
prendre, *p.p.* **pris** to take, assume, happen; — **l'air distingué** to assume a distinguished appearance; — **un petit air de logique** to assume a little bit of logic; — **pour** to take for; — **soin** to take care
près near, close; — **de** almost; **tout** — very near; **à un centime** — within a centime
presque almost, nearly
le **pressentiment** foreboding, premonition
prêt, prête ready
prétendre to claim
prétentieux, prétentieuse stilted, affected
prêter to lend
se **prêter à** to yield to
le **prétexte** pretext, excuse
le **prêtre** priest
prévenir to inform
prévoir, *p.p.* **prévu** to anticipate
primaire primary, elementary
prime first
la **prime** prize, bonus

le **prisonnier**, la **prisonnière** prisoner
le **prix** price, value
le **procédé** procedure
le **procès** lawsuit
proche near
prodigue lavish
profondément deeply
la **proie** prey; **être en** — to be prey
prolétaire proletariat
se **prolonger** to extend, continue
la **promenade** walk
se **promener** to walk
promettre, *p.p.* **promis** to promise
le **propos** talk, words; **à ce** — concerning this
proposer to propose, suggest
le **propriétaire** owner, proprietor
puis then
puisque since
la **puissance** power
puissant powerful

qualifier to give a name to
quand when; — **même** really, all the same, nevertheless
quant à as for
quatre four
ne...que only
quelque some; — **chose** something; **quelqu'un** someone
quelquefois sometimes
quinze fifteen; — **jours** two weeks
quitter to leave
quoi what

rabâcher to repeat over and over again
raccompagner to accompany back
la **race** class, quality
racheter to buy back
la **racine** root

raconter to tell, relate
radoter to talk idly
le **raffinement** refinement
raffiner to refine
rageusement angrily
raide stiff
la **raison** reason, right; **avoir —** to be right
le **raisonnement** reasoning
rajuster to adjust
ramener to take back
la **rançon** ransom
rancunier, rancunière spiteful
rappeler to call back
se **rappeler** to remember
le **rapport** relation
rapporter to report
se **rapprocher** to come closer
la **raquette** racket
raser to shave
rasseoir, *p.p.* **rassis** to sit down again
rasséréner to restore to serenity
rassurer to reassure
rater to miss
rattraper to catch up
rauque hoarse
ravi delighted
raviser to change one's mind, have an afterthought
ravissant delightful
réagir to react
réapparaître, *p.p.* **réapparu** to reappear
rebattre to repeat; **— les oreilles à** to make someone sick of hearing something
la **recette** return, income
recevoir, *p.p.* **reçu** to receive
de rechange spare
recommencer to begin again
recomposer to recover one's composure
reconnaissant grateful

reconnaître, *p.p.* **reconnu** to recognize
reconstituer to reconstruct
reconstruire to rebuild
recréer to recreate
se **recroqueviller** to curl up
recruter to recruit
rectifier to straighten
le **recul** recoil, retreat; **avoir un petit —** to retreat slightly
reculer to draw back
redevenir to become again
redire to repeat
redonner to give another
se **redresser** to sit or stand erect again
réduire to reduce
refaire to repeat
refermer to close again
regagner to win back, regain
le **regard** look
regarder to concern, look at; **— bien en face** to look someone straight in the face
se **regarder** to look at each other
régler to regulate, straighten out, be paid
le **règne** reign
régner to reign
réjouir to rejoice
le **relâchement** slackness, remissness, laxity
se **relayer** to take turns
la **relève** shift
relever to raise again, turn up
remarquer to notice
le **remède** medicine, remedy
remercier to thank
remettre, *p.p.* **remis** to put back
se **remettre,** to pull oneself together, recover, begin again
remonter to get back on, go back, go up; **— le courant** to go upstream
le **remords** remorse
remplir to fill

remuer to stir up; — **le fer dans la plaie** to exacerbate a wound

la **rencontre** meeting

rencontrer to meet

rendre to return, make; — **clair** to clarify

renifler to sniffle

la **renommée** renown, fame

renouveler to renew, reorder

rentrer to enter again, re-enter, return

le **renvoi** dismissal

renvoyer to send back, dismiss; **faire** — to dismiss

reparler to talk about again

repartir to start again

le **repas** meal

répéter to rehearse, repeat

répondre to answer

la **réponse** answer

se **reposer** to rest, put down

reprendre, *p.p.* **repris** to gain back, continue, go over again; — **de plus belle** to begin again with renewed ardor

résolu resolute, determined

la **résolution** determination

respirer to breathe, sigh with relief

ressembler to resemble

ressentir to feel

ressortir to come out again

rester to remain

résumer to recapitulate, sum up

le **retard** delay; **en** — late

retenir to detain, hold back, remember

retirer to withdraw

retomber to fall down again

la **retouche** stroke, caress

le **retour** return

se **retourner** to turn around

la **retraite** retreat

retrouver to find again, meet again, see

réussir to succeed

le **rêve** dream

réveiller to waken

se **réveiller** to awaken

révéler to reveal

revenir to return, come back

rêver to dream

la **révérence** reverence, bow; **faire une** — to bow

rêveur, rêveuse dreamy

revivre to live again

revoir to see again

ricaner to sneer

le **rictus** grin

le **rideau** curtain

rien nothing; **n'avoir** — **à voir à** to have nothing to do with; **de** — not at all, don't mention it; — **que** nothing but; — **n'y fait** nothing works

rigoler to poke fun

la **rigueur** strictness; **à la** — strictly, in a strict sense

rire to laugh; **se tordre de** — to be convulsed with laughter; **éclater de** — to burst out laughing

risquer to venture

la **ritournelle** musical flourish, ritornello

la **rivière** river

la **robe** dress

le **roman** tale, novel

romanesque romantic

rond round; **tourner** — to purr

la **rondeur** fullness

rose pink; — **bonbon** candy pink

le **rosier** rose bush; **le** — **grimpant** creeping roses

rouge red

rougir to blush

le **rouleau** roll, roller; **être au bout de son** — to be at the end of one's tether

rouler to drive; roll

roumain Rumanian
la **route** road
la **rue** street

sacré sacred
sacrilège sacrilegious
sacro-saint sacrosanct, inviolable
saisir to seize; — **au vol** to seize on the wing
sale dirty
la **saleté** junk
la **salle** hall
le **salon** parlor, drawing room
saluer to greet, salute
le **sanglot** sob; **éclater en** —**s** to burst into sobs
sangloter to sob
sans without; — **doute** undoubtedly; — **que** without
satisfait satisfied
sauf except
sauter to jump; — **dessus** to jump on; — **les mailles des bas** to get runs in stockings; — **sur** to grab
sautiller to walk jerkily
sauver to save
se **sauver** to escape, run away
savoir, *p.p.* **su** to know how, be able
scabreux, scabreuse improper
la **scène** stage; **en** — on stage
sceptique skeptical
le **seau** bucket
sec, sèche dry
le **sécateur** pruning scissors
le **Seigneur** Lord
selon according to
la **semaine** week; **en** — during the week
le **semblant** appearance; **faire** — **de** to feign, pretend
sembler to seem
le **sens** meaning, sense
sensible sensitive

sentir to feel, smell, sense
sept seven
sérieux, sérieuse serious
serrer to press, strain, clasp
le **service** favor
servir to serve, wait on
le **seuil** threshold
seul alone, simple
seulement except, only
si if, yes
sidéré struck dumb or dead, dazed
le **sien**, la **sienne** his, hers
le **signe** signal
la **signification** meaning
silencieux, silencieuse silent
simplement simply
sincèrement sincerely
singer to ape, mimic
le **sirop** syrup
slave Slavic
le **socle** pedestal
la **soif** thirst; **avoir** — to be thirsty; **mourir de** — to die of thirst
soigner to care for, nurse
le **soin** care; **les petits** —**s** devoted attention; **prendre** — to take care
le **soir** evening, night; **hier** — last evening
soit agreed
le **sol** soil; **être cloué au** — to be nailed to the spot, be stunned
le **soleil** sun
solennel, solennelle solemn
sombre dark
en somme in short
sommer to insist, demand
songer to think
la **songerie** dreaming
sonné (slang) touched
sonner to strike, ring
la **sorte** type
sortir to leave, get out, go out
sot, sotte stupid, silly, foolish
soudain suddenly

soudainement suddenly
le **souffle** breath, inspiration
souffrir to suffer
soulager to relieve
souligner to underline, emphasize
le **soupçon** hint
soupçonneux, soupçonneuse suspicious
le **soupir** sigh
soupirer to sigh
sourdement indistinctly
sourire to smile
le **sourire** smile
la **souris** mouse
sous beneath, underneath, under; — le **nez** right under one's nose
soutenir to uphold
se **souvenir de** to remember
souvent often
le **square** enclosed garden in a public place
stupéfait stupefied
la **stupeur** astonishment, amazement
subir to submit, undergo
sucer to suck
sucrer to sweeten
suédois Swedish
la **suite** connection, series; **sans** — without connection
suivre to follow
supplémentaire supplementary
supplier to beg
supprimer to cancel
sûr sure; **bien** — surely, of course; — **de lui** self-confident
sûrement surely
le **surnom** surname
surprenant surprising
surprendre, *p.p.* **surpris** to discover, surprise
sursauter to start
surtout above all, especially
la **surveillance** supervision

surveiller to watch
suspendre to suspend, defer
le **syndicat** trade union; le **tarif** — trade union rate

le **tableau** painting
la **tache** spot
la **tâche** task, job
tâcher to try
la **taille** height
se **taire** to be silent
le **talon** heel
tandis que whereas
tanguer to pitch
la **tanière** den
tant de so much, so many
tant que as long as
la **tante** aunt
tantôt...tantôt sometimes... sometimes
taper to hit, strike
tapoter to pat
tard late
le **tarif** rate; le — **syndicat** trade union rate
la **tartine** slice of bread with butter or jam
la **tasse** cup
le **taureau** bull
tel, telle such
tellement so, such
le **témoin** witness
le **temps** time; **un** — for a while
la **tendance** tendency
tendre to hand
tendrement tenderly
tenir to hold; — **à** to be anxious to
se **tenir** to stand; se — **à** to limit oneself to, stick to; se — **droit** to stand straight; se — **pour** to consider oneself
terminer to finish
la **terre** ground, earth; **par** — on the ground

la **tête** head; **avoir la —** to be thinking about

la **tiédeur** lukewarmness

tiens! well!

le **timbre** bell

timidement timidly

la **tirade** speech

tirer to draw, fire at

le **titre** title; **à aucun —** in no way

toiser to size up

le **toit** roof

la **tombe** grave

tomber to fall; **— amoureux** to fall in love; **laisser —** to drop; **à la nuit tombante** at nightfall

le **ton** tone; **donner le —** to set the style

toqué touched

le **toqué** crazy, touched man

se **tordre** to writhe, twist; **se — de rire** to be convulsed with laughter

le **tort** wrong; **avoir —** to be wrong

tôt early

toujours always, still; **— est-il** the fact remains

le **toupet** nerve

le **tour** turn, stroll, trip; **à son —** in turn; **donner un — de manivelle** to crank; **— à —** in turn

tourner to turn; **— rond** to purr

toussoter to cough slightly

tout all, entire, very; **— à fait** completely, certainly; **— d'un coup** all of a sudden; **— à l'heure** shortly, a while ago; **— de même** however, nevertheless, at least; **— le monde** everyone

le **trac** (slang) fear; **avoir le —** to be trembling

la **tractation** bargaining

traduire to translate

le **train** course; **être en — de** to be engaged in

le **trait** feature, gulp; **avaler d'un —** to swallow in one gulp

traiter de to call

tranquillement calmly

le **travail** work

travailler to work

le **travailleur** worker

traverser to cross

trente thirty

tressaillir to shudder

tricher to cheat

triompher to triumph

triste sad

trois three

la **trombe** cyclone; **arriver en —** to enter like a whirlwind

tromper to deceive

se **tromper** to be mistaken

trop too, too much

trottiner to go at a jog-trot

troublant disturbing

se **troubler** to become agitated

trouver to find

se **trouver** to find oneself, be found

le **tsar** czar

tuer to kill

se **tuer** to kill oneself

typique typical

le **tzigane** gypsy

uni smooth, unaffected

uniformément uniformly, always

l'**univers** *m.* universe

l'**usage** *m.* custom

user to wear out, use

l'**usine** *f.* factory

les **vacances** *f. pl.* vacation

le **va-et-vient** coming and going

vaincre, *p.p.* **vaincu** to conquer

vainement in vain

la **valeur** value

la **valse** waltz
se **vanter** to boast
la **veilleuse** night lamp; **en —** subdued
le **vélocipède** bicycle
le **velours** velvet
vendre to sell
venger to avenge
venir to come; **en — à** to be driving at; **faire —** to send for; **— de** to have just
le **vent** wind
la **venue** arrival
la **vérité** truth
le **vernis** varnish
le **verre** glass
vers towards
verser to pour
le **vert** green
vertueux, vertueuse virtuous
le **vestiaire** coat-room; **la dame du — ** coat-room attendant
le **veston** jacket
vide empty
la **vie** life
le **vieillard** old man
vieilli aged, grown old
vieillot old, old-fashioned
viennois Viennese
vieux, vieille old
vif, vive strong
vilain nasty, naughty
la **ville** city
le **vin** wine
vingt twenty
le **visage** face
viser to aim at

vite quickly
vivant living, alive
vivement quickly
vivre, *p.p.* **vécu** to live
voici see here, here is
voilà well now, there is; **— tout** that's all
voir, *p.p.* **vu** to see; **n'avoir rien à — à** to have nothing to do with; **voyez-moi si cela serait gai** now wouldn't that be jolly; **voyez** now, now; **voyons** let's see now
la **voiture** car
la **voix** voice; **avoir de la —** to be able to sing
le **vol** flight, soaring; **saisir au —** to seize on the wing
le **volatile** bird
le **volcan** volcano
le **volet** shutter
le **voleur,** la **voleuse** thief
volontairement voluntarily
volontiers willingly
vouloir to want; **— bien** to please, be willing; **— dire** to mean; **que me voulez-vous** what do you want of me
le **voyage** trip
le **voyou** (slang) street urchin
vrai real, true
vraiment really

y there; **il — a** ago
les **yeux** *m. pl.* eyes; **les — dans les —** eyes riveted on each other